ULRICH STIEHL

Einführung in die
allgemeine Semantik

FRANCKE VERLAG

BERN UND MÜNCHEN

DALP-TASCHENBÜCHER
BAND 396 D

INHALT

EINLEITUNG

Le véritable usage de la parole,
c'est de servir la vérité.

Mme de Lambert

Die zwei Grundeinheiten einer jeden Sprache sind Wort und Satz. Diese sind materielle, nämlich lautliche oder schriftliche Gebilde, denen in unserem Bewußtsein geistige Gebilde entsprechen, wobei wir das Bewußtseinsgebilde, das dem Wort entspricht, *Begriff* nennen, während wir das Bewußtseinsgebilde, das dem Satz entspricht, als *Aussage* bezeichnen wollen, wofür man in der Umgangssprache meist «Gedanke» sagt.

Mit dem Wesen dieser vier sprachlichen Bedeutungsgebilde, das heißt mit Wort und Satz auf der einen und mit Begriff und Aussage auf der anderen Seite, befaßten sich bekanntlich seit alters zwei Disziplinen, nämlich die Grammatik und die Logik. So geht es der Grammatik darum, die Wortformen und Satzbildungsregeln einer vorgegebenen Sprache zu analysieren. Selbst wenn man nur eine einzige Sprache beschreiben wollte, müßte die entsprechende Grammatik induktiv aufgebaut werden, weil es unmöglich ist, all das zu analysieren, was jemals in der einen Sprache gesprochen und geschrieben wurde. Und weil die Grammatik einer vorgegebenen Sprache eine vollständige Deskription derselben nicht zu realisieren vermochte, wurde aus der deskriptiven oft eine normative Grammatik. Darüber hinaus versuchte man in neuerer Zeit, solche Gesetze zu entwickeln, die für eine ganze Sprachfamilie oder gar für alle Sprachen zutreffen sollten. Dabei müssen Gesetze, die für Wörter und Sätze aller Sprachen Geltung haben, mit den logischen Gesetzen übereinstimmen, so daß man sich auch direkt an der Logik orientieren konnte.

Was die Logik anlangt, so unterscheiden wir die traditionelle von der modernen Logik, welche wir auch Logistik nennen. Die traditionelle Logik teilte man ein in eine Begriffslehre, eine Urteilslehre und eine Schlußlehre, wobei das Schwergewicht auf der Schlußlehre lag. Demgegenüber unterscheidet sich die moderne Logik von der traditionellen dadurch, daß sie fast ausschließlich mit Symbolen und Formeln operiert; überdies umfaßt die moderne Logik nicht nur die traditionelle Logik, sondern auch eine Vielzahl von logischen Gesetzen (z.B. den Relationenkalkül), die der traditionellen Logik völlig unbekannt waren.

Da es sich als zu einseitig erweist, entweder nur die materiellen oder die geistigen Bedeutungsgebilde zu beschreiben, weil zwischen Wort und Begriff einerseits und zwischen Satz und Aussage (Urteil) andererseits wesenhafte Korrelationen bestehen, ist eine Wissenschaft zu entwickeln, die beide Disziplinen umfaßt, indem sie erstens die vier Bedeutungsgebilde beschreibt und zweitens die essentiellen Bezogenheiten derselben zueinander erforscht. Diese Wissenschaft wollen wir *allgemeine Semantik* nennen. Es ist evident, daß die Aufgabe der allgemeinen Semantik nicht darin bestehen kann, das klassische Erbe der Grammatik und Logik zu resümieren; vielmehr sollte die allgemeine Semantik gerade diejenigen Gesetze analysieren, die von Grammatik und Logik gar nicht oder nur teilweise beachtet werden. Was dabei die Grammatik betrifft, so sollte die allgemeine Semantik die Gesetze beschreiben, die für Wörter und Sätze aller Sprachen Geltung haben, wohingegen die Grammatik als solche meist auf eine oder nur mehrere Sprachen bezogen ist. Was andererseits die Logik betrifft, so sollte sich die allgemeine Semantik nicht so sehr mit Schlüssen als vielmehr mit dem Wesen von Begriff und Aussage beschäftigen, was besonders in der modernen Logik vernachlässigt wird.

Die folgende Abhandlung bringt eine gedrängte Einführung in die elementarsten Gesetze der allgemeinen Semantik, sofern sie die *wissenschaftliche* Sprache betrifft. Dabei habe ich mich nicht so sehr an den künstlichen (formalisierten, logistischen) Sprachen orientiert, wie dies eine Disziplin tut, die sich ebenfalls als Semantik bezeichnet (es handelt sich um die Semantiken von Carnap, Tarski, Stegmüller u. a.), sondern es ging mir hauptsächlich um die natürliche wissenschaftliche Sprache, wie wir sie besonders in den nichtmathematischen Wissenschaften vorfinden, denn gerade die Sprache der nichtmathematischen Wissenschaften scheinen einer Klärung zu bedürfen, während dies für die Sprache der mathematischen Wissenschaften, die einen hinlänglichen Grad an Präzision aufweist, offenbar nicht so nötig ist.

Die vorliegende Abhandlung stellt in Aufbau und auch teilweise in Inhalt ein Novum dar. Wesentlich inhaltlich neu an dieser Abhandlung ist die systematische Herausarbeitung der wesentlichen Unterschiede zwischen den materiellen (Wort, Satz) und den geistigen (Begriff, Aussage) Bedeutungsgebilden. Dies gelang durch eine nähere Analyse des Begriffes der Intention bei Bedeutungsgebilden. Um den recht komplizierten und auch zweifellos oft mißverstandenen Begriff der Intention zu veranschaulichen, entwickelte ich die intentionalen Gesetze an den nichtsprachlichen Zeichen, die besonders anschaulich und deshalb leicht verständlich sind, und ging erst dann zu den sprachlichen Bedeutungsgebilden über.

Weil die vorliegende Abhandlung eine Semantik der wissenschaftlichen Sprache ist, mußte der eigentlichen Semantik eine Darstellung ontologischer und gnoseologischer Grundbegriffe vorausgehen, denn Aussagen repräsentieren Erkenntnisse (Gnoseologie), und Erkenntnisse repräsentieren Seiendes (Ontologie). Der logisch versierte Leser wird erkennen, daß unsere ontologischen Klassifikationen ihre Entsprechungen in den syntaktischen Kategorien der Logistik haben. So entspricht unserem Gegenstandsbegriff in der Logistik der Argumentbegriff, und unserem Bestimmungsbegriff entspricht in der Logistik der Funktorbegriff. Es ist indes schwer einzusehen, weshalb sich die Logistik nicht eingehender um ontologische Analysen bemüht, zumal logische Formen in der Wirklichkeit ihre Entsprechung haben sollen. Bei einigen Kalkülen sieht man denn auch sehr deutlich, daß der Bezug zur Wirklichkeit fehlt, so daß Interpretationen nur noch im Sinne von Kalkülspielereien möglich sind. Man wird es deshalb als angenehm empfinden, daß in dieser Abhandlung wieder ontologische Gesetze ins Zentrum der Betrachtung gerückt wurden. Im Kapitel über «Gnoseologie und Semantik» werden freilich nur diejenigen Gesetzlichkeiten erörtert, die für die Semantik relevant sind. Es sei hierbei bemerkt, daß unsere Abhandlung auf dem gnoseologischen Realismus basiert, denn allein von diesem Standpunkt aus läßt sich der Intentionsbegriff entwickeln.

Die folgende semantische Abhandlung ist insofern eine Einführung, als alle semantischen Begriffe definierend eingeführt wurden, wobei zu den entsprechenden Begriffswörtern stets dann Etymologien angegeben wurden, wenn es sich um Fremdwörter handelte. Überdies fügte ich in Abschnitte, die komplizierte semantische Gesetze beschreiben, stets knapp gehaltene Beispiele hinzu. Wem die Beispiele und die Etymologien zu elementar erscheinen, mag über sie hinweglesen; mir selbst erscheinen sie jedoch schon deshalb unabdingbar, weil viele semantische Gesetze derart schwer erfaßbar sind, daß man anfangs ohne anschauliche Beispiele und etymologische Stützen beim Durchlesen eines Textes, der diese Gesetze beschreibt, kaum zu einem vollen Verständnis gelangen wird. Schwer erfaßbar sind semantische Gesetze schon deshalb, weil in der

Semantik die Erkenntnisrichtung umgekehrt werden muß, denn, vereinfacht ausgedrückt, sprechen wir im allgemeinen mit der Sprache über Seiendes, während wir in der Semantik mit der Sprache über die Sprache sprechen. Um einem leichten Verständnis noch mehr entgegenzukommen, habe ich die Unterabschnitte in den einzelnen Kapiteln sehr kurz gehalten, wobei das dementsprechend umfangreiche Inhaltsverzeichnis nicht nur der Übersicht dient, sondern auch als Register verwandt werden kann.

Diese Abhandlung soll jedoch nicht nur eine Einführung, sondern auch ein Abriß sein, der so komprimiert wie nur irgend möglich alle elementaren semantischen Gesetze beschreibt. Bei der Fülle der Literatur, die heute erscheint, wird es mehr und mehr notwendig, ein vorgegebenes Sachgebiet möglichst konzis und übersichtlich, aber trotzdem möglichst leicht verständlich und ohne Auslassung wichtiger Erkenntnisse zu behandeln. Dafür sollte gerade diese Abhandlung, die sich semantisch mit dem Problem des adäquaten Ausdrucks befaßt, ein Vorbild abgeben.

Unsere semantische Abhandlung verfolgt theoretische und praktische Zwecke. Der theoretische Zweck dieser Abhandlung besteht darin, auf kleinstmöglichem Raum einen größtmöglichen Überblick über die Gesetze von Wort, Begriff, Satz und Aussage zu geben. Dagegen besteht der praktische Zweck dieser Abhandlung darin, Methoden zu entwickeln, vermöge deren man im erhöhten Maße imstande ist, erstens seinen eigenen Erkenntnissen einen adäquaten Ausdruck zu verleihen und zweitens das von anderen Ausgedrückte adäquater zu erfassen. Es zeigt sich nämlich, daß man schon durch elementare semantische Kenntnisse die Adäquatheit des Erfassens und Verfassens eines Textes wesentlich steigern kann. So muß denn jeder, der selbst erworbene Erkenntnisse exakt ausdrücken möchte, beziehungsweise die sprachliche Wiedergabe von Erkenntnissen, die andere erworben haben, exakt erfassen möchte, zumindest mit den elementaren semantischen Gesetzen vertraut sein, womit die Anfangsgründe der Semantik, wie sie hier dargeboten werden, das natürliche Rüstzeug eines jeden Wissenschaftlers darstellen sollten. Verglichen mit der allgemeinen Semantik, kommt der Grammatik und der Logik eine wesentlich geringere Bedeutung zu. So ist es beispielsweise nur in besonderen Fällen wichtig zu wissen, was man etwa unter einem Partizip zu verstehen hat oder weshalb etwa bei den Syllogismen nur vierundzwanzig allgemeingültige Modi existieren; aber demgegenüber ist es beispielsweise wichtig, mit den Begriffsgesetzen vertraut zu sein, denn die Begriffe sind die elementarsten Bausteine einer Abhandlung.

Obwohl unsere Abhandlung nur die wissenschaftlichen Bedeutungsgebilde beschreibt, wirft sie auch Licht auf den außerwissenschaftlichen Sprachgebrauch in der Umgangssprache, die pragmatisch orientiert ist, und auf die Dichtersprache, die ästhetisch orientiert ist. So gibt unsere Semantik Regulative, die vor einem Mißbrauch der Sprache und vor einem Mißbrauchtwerden durch die Sprache schützen. Wenn man beispielsweise bedenkt, wie mit Worten von einem geschickten Diplomaten das politische Bewußtsein des Volkes zum Wohle oder zum Schaden umfunktioniert werden kann, wenn man an die den Kaufwillen prägenden Werbeslogans denkt, wenn man sich die Pseudowissenschaftler vergegenwärtigt, die sich in geradezu «logomanischer» Weise an Wortfetischen ergötzen und dem Leser ihre Unwissenheit vorenthalten, indem sie ihm ein elegantes und angenehm lesbares Feuilleton präsentieren, dann wird manifest, daß zumindest elementare semantische Kenntnisse ein notwendiges Desiderat darstellen.

Freilich liegt hierin auch eine Gefahr, denn wer in der Semantik bewandert ist, kann von einem schädlichen Sprachgebrauch bewußt und deshalb in vollem Umfang Gebrauch machen. Doch nicht nur der negative, sondern auch der positive Sprachgebrauch kann beeinflussen, und wenn der positive Sprachgebrauch auch nicht immer am stärksten beeinflußt, so beeinflußt er doch zweifellos am dauerhaftesten.

Teile dieser vorliegenden Abhandlung können auch mit Vorteil im schulischen Sprachunterricht, und zwar sowohl im muttersprachlichen als auch im fremdsprachlichen Unterricht, behandelt werden. Zeigt doch der methodologische Teil dieser Abhandlung, daß bei Textinterpretationen rezeptive und beim Schreiben von Schulaufsätzen konstruktive semantische Methoden zumindest unbewußt angewandt werden müssen.

Indes dürfen semantische Studien im schulischen Sprachunterricht nicht vom rein theoretischen, sondern vornehmlich vom pragmatischen Standpunkt aus betrieben werden, der hier auch besondere Berücksichtigung fand. So sollte man zur Darstellung allgemeiner semantischer Gesetzlichkeiten induktiv von Beispielen ausgehen, an denen sich die allgemeinen Gesetze anschaulich demonstrieren lassen. Außerdem sollte schon in den unteren Klassen – verbunden mit Definitionsübungen, Wortfeldanalysen usw. – eine gründliche Anleitung zu den für semantische Studien unabdingbaren semasiologischen und onomasiologischen Wörterbüchern gegeben werden.

Durch die bewußte Kenntnis semantischer Gesetze bleibt übrigens die Beurteilung semantischer Gebilde (literarische Texte, Schulaufsätze usw.) nicht mehr allein dem vagen Sprachgefühl des Lehrers oder Schülers überlassen; vielmehr läßt sich dann mit Hilfe semantischer Methoden präzis angeben, weshalb etwa ein sprachliches Gebilde gehaltvoll oder gehaltlos ist.

1. DAS WESEN DER SEMANTIK

1.1. Definition der Semantik

In der folgenden Abhandlung wollen wir unter dem Begriff der Semantik (sema = Bedeutung) diejenige Bedeutungslehre verstehen, die sich mit den elementaren sprachlichen Bedeutungsgebilden befaßt, wogegen man im allgemeinen Sprachgebrauch den Begriff «Semantik» auch mit dem Terminus «Semasiologie» belegt, während wir mit dem Wort «Semasiologie» den Begriff einer besonderen Wortbedeutungslehre bezeichnen wollen. Die elementaren sprachlichen Bedeutungsgebilde, mit denen sich unsere Semantik beschäftigt, sind einerseits die materiellen (lautlichen) Bedeutungsgebilde Wort und Satz, und andererseits die geistigen (apperzeptiven) Bedeutungsgebilde Begriff und Aussage. Die Bedeutungsgebilde Begriff und Aussage sind die Erkenntnisinhalte, die von dem sprechenden Subjekt an das hörende Subjekt durch die Informationsträger Wort und Satz vermittelt werden. Wir gebrauchen hier den Begriff des *sprachlichen* Bedeutungsgebildes in einem weiteren Sinne, so daß er nicht nur die materiellen Zeichen Wort und Satz, sondern auch deren geistige Korrelate umfaßt. Diese sprachlichen Bedeutungsgebilde, welche das Thema unserer Abhandlung bilden, können insofern als elementar bezeichnet werden, als sie tatsächlich in allen Sprachen vorkommen, wie unterschiedlich die einzelnen Sprachen auch immer sein mögen. Von diesen fundamentalen allgemeinen Bedeutungsgebilden wollen wir jedoch in dieser Abhandlung nur die wesentlichsten Eigenschaften beschreiben, während eine umfassende Beschreibung aller essentiellen Eigenschaften dieser sprachlichen Bedeutungsgebilde in den Rahmen einer umfangreicheren Darstellung gehört.

1.2. Semantik und Ontologie beziehungsweise Gnoseologie

Unsere elementare Semantik soll nun aber nicht gleichermaßen Bedeutungsgebilde aus der wissenschaftlichen, der alltäglichen und der dichterischen Sprache beschreiben; vielmehr sollen in unserer Abhandlung nur diejenigen Bedeutungsgebilde beschrieben werden, die in der wissenschaftlichen Sprache zu finden sind, obwohl wir auch hier und dort auf die Umgangssprache oder auf die Dichtersprache hinweisen werden. Mithin können wir endgültig unsere elementare

Semantik als diejenige Bedeutungslehre definieren, die sich mit den elementaren Formen der sprachlichen Bedeutungsgebilde Wort und Satz einerseits und Begriff und Aussage andererseits insoweit befaßt, als diese Bedeutungsgebilde in der wissenschaftlichen Sprache verwandt werden.

Durch die Bezogenheit der Semantik auf die wissenschaftliche Sprache tritt sie auch zugleich in ein wesenhaftes Abhängigkeitsverhältnis zur Ontologie (Seinslehre; ont = seiend) und zur Gnoseologie (Erkenntnislehre; gnosis = Erkenntnis), denn die wissenschaftlichen sprachlichen Bedeutungsgebilde Begriff und Aussage sind Teil einer Erkenntnis oder die Erkenntnis selbst, sofern diese durch Wort und Satz vermittelt wird. Die Erkenntnis ist die Wiedergabe (Reproduktion) eines Seienden, weshalb die Ontologie das natürliche Fundament der Gnoseologie darstellt. Dagegen dient die wissenschaftliche Sprache der Wiedergabe (Vermittlung) von Erkenntnissen, weshalb die Gnoseologie und überdies die Ontologie das natürliche Fundament der Semantik darstellen. Deshalb gehen unserer eigentlichen semantischen Abhandlung zwei Kapitel über Ontologie beziehungsweise Gnoseologie voran, in denen die für die Semantik wichtigsten Begriffe erörtert werden.

1.3. Semantik und andere Bedeutungslehren

Die anderen Bedeutungslehren unterscheiden sich von der Semantik dadurch, daß sie erstens *stets* auf bestimmte Sprachen bezogen sind, während die Semantik Gesetze entwickelt, die für alle Sprachen zutreffen, und zweitens dadurch, daß sie *meist* nur Wörter und Begriffe zum Thema ihrer Untersuchungen machen, während sich die Semantik auch mit Satz und Aussage beschäftigt. Wir können deshalb auch von einer allgemeinen Semantik im Gegensatz zu den speziellen Bedeutungslehren sprechen.

Es gibt im wesentlichen drei solche speziellen Bedeutungslehren, nämlich die Etymologie (Wortursprungslehre; etymon = Ursprung), die Semasiologie (Wortbedeutungslehre; semasia = Bedeutung) und die Onomasiologie (Begriffsbezeichnungslehre; onomasia = Name). Davon befaßt sich die *Etymologie* mit der ursprünglichen Form und der ursprünglichen Bedeutung bestimmter Wörter. (Zum Beispiel stellt sie fest, daß das Wort «stehen» auf die indogermanische Wurzel «stha» zurückgeht und in diesem Falle ebenfalls «stehen» bedeutet).

Dagegen untersucht die *Semasiologie*, welche Bedeutungen ein bestimmtes Wort einer bestimmten Sprache gegenwärtig hat oder in einer bestimmten Epoche hatte. (Zum Beispiel stellt sie fest, daß das Wort «Hippe» gegenwärtig in verschiedenen Teilen Deutschlands die Bedeutungen «Ziege», «böses Weib», «Fladenkuchen», «sichelförmiges Gartenmesser» usw. hat.)

Die *Onomasiologie* befaßt sich damit, mit welchen Wörtern eines bestimmten Sprachsystems bestimmte Begriffe bezeichnet werden können. (Zum Beispiel stellt sie fest, daß die Wörter «verstehen», «erfassen», «begreifen» usw. alle denselben Begriff bezeichnen.) Die Onomasiologie beschäftigt sich also primär mit bedeutungsgleichen, dann aber auch mit bedeutungsverwandten Wörtern (Synonymik).

Nennenswert ist hier noch die *Phraseologie*, die sich mit den Wortbedeutungen innerhalb bestimmter Kontexte (Wortzusammenhänge) befaßt. (So stellt sie fest, daß das Wort «gehen» im Kontext «es geht um seinen Kopf» eine andere Bedeutung als ursprünglich hat.) Hierher gehört auch die *Metaphorik*, die sich mit den übertragenen Bedeutungen von Wörtern beschäftigt. (So stellt sie fest, daß das Wort «lösen» im Sinne des Knotenlösens in eigentlicher und im Sinne des Rätsellösens in uneigentlicher, das heißt übertragener Bedeutung verwandt wird.)

Es gibt schließlich noch eine Bedeutungslehre, die sich auch Semantik nennt, aber sich im Gegensatz zu unserer allgemeinen Semantik mit Spezialproblemen aus den Bereichen der Gnoseologie, der Metamathematik und der Logistik beschäftigt. Diese Semantik gehört deshalb ebenfalls zu den speziellen Bedeutungslehren. (Zum Beispiel beschäftigt sich das Werk von Stegmüller: «Das Wahrheitsproblem und die Idee der Semantik» mit dem Wahrheitsbegriff und verwandten gnoseologischen Themen, liefert jedoch kein allgemeines System der elementaren sprachlichen Bedeutungsgebilde und kann deshalb nicht als allgemeine Semantik in unserem Sinne bezeichnet werden.)

Die allgemeine Semantik gibt die Grundlage für alle anderen speziellen Bedeutungslehren ab, denn anhand der Gesetze, die die allgemeine Semantik erforscht, lassen sich Methoden für die speziellen Bedeutungslehren entwickeln. Doch bildet die allgemeine Semantik nicht nur das Fundament für die speziellen Bedeutungslehren, sondern auch das Fundament für jedes wissenschaftliche Arbeiten, insoweit es mit der sprachlichen Mitteilung von Erkenntnissen (Lernen und Lehren) verbunden ist.

2. ONTOLOGIE UND SEMANTIK

2.1. Vorbemerkung

Die Semantik ist von der Ontologie nur insoweit abhängig, als sie eine präzise Klassifikation der Designate von Begriff und Aussage als apperzeptiver Bedeutungsgebilde auf ontischer Basis fordert, weil Begriff und Aussage *allein* aufgrund der ontischen Verschiedenheit ihrer Designate voneinander unterschieden werden können; und nur wenn Begriff und Aussage genau unterschieden sind, lassen sich auch Wort und Satz als die materiellen Korrelate von Begriff und Aussage genau unterscheiden. Unter einem Designat verstehen wir in diesem Zusammenhang das, was von Begriff beziehungsweise Aussage bezeichnet wird, wobei wir diese Bezeichnung Intention nennen wollen. (Der Begriff der Intention und der Begriff des Designates können erst an späterer Stelle [4.2.2.] in extenso expliziert werden, weshalb die folgenden Erörterungen hier noch nicht vollständig erfaßt werden können. Es ist deshalb zweckmäßig, wenn man dieses Kapitel nochmals im Zusammenhang mit den späteren Kapiteln studiert.)

2.2. Seinsformen

Es gibt nur zwei Bedeutungsgebilde, die Seinsformen (Seinskategorien, Seinsstrukturen) intendieren (das heißt also bezeichnen oder wiedergeben). Diese zwei Bedeutungsgebilde sind der Begriff (etwa «Baum») und die Aussage (etwa «Der Baum wächst»). Wenn man nun alle Seinsformen, die von Begriffen oder Aussagen intendiert werden können, zusammenstellt, so gelangt man zu folgender Klassifikation der Seinsformen, die gleichwohl nur vom Standpunkt (Einteilungsgrund) der Semantik aus als endgültig betrachtet werden kann; im Rahmen der Ontologie selbst kann es auch noch andere Klassifikationen geben, die aber der semantischen Klassifikation nicht widersprechen dürfen. Die semantische Klassifikation lautet nun: Eine Seinsform ist entweder eine Seinsheit (Wesenheit, Entität usw.) oder ein Sachverhalt (Tatsache). Davon ist die Seinsheit wieder entweder ein Gegenstand (auch Ding, Sache, Substrat usw. genannt) oder eine Bestimmung (auch Eigenschaft bei Zuständen und sonst

Vorgang oder Tätigkeit genannt). Der Gegenstand (etwa Baum) ist der Träger von Bestimmungen; die Bestimmung (Wachsen als Vorgang oder Grünsein als Eigenschaft) ist das, was dem Gegenstand zukommt, was von dem Gegenstand getragen wird. Deshalb stehen Gegenstand und Bestimmung zueinander wie Bestimmtwerdendes und Bestimmendes. Wir sprechen deshalb auch von einer bestimmenden Seinsheit (etwa das Wachsen) und von einer bestimmtwerdenden Seinsheit (etwa der Baum). Dabei können Gegenstand und Bestimmung nur in der Vorstellung (idealiter) isoliert betrachtet werden; in Wirklichkeit (realiter) und als Objekte des Erkennens existieren sie nur in einem Zueinander, nämlich als Sachverhalte. Der Sachverhalt ist eine Verbindung von Seinsheiten, wobei im einfachsten Fall zwei Seinsheiten, von denen die eine bestimmend und die andere bestimmt ist, verbunden sind. (Wenn etwa sich die Bestimmung «Wachsen» mit einem dadurch bestimmten Gegenstand «Baum» verbindet, entsteht ein Sachverhalt, nämlich daß der Baum wächst. Dabei brauchte der Baum nicht durch das Wachsen bestimmt zu sein, und das Wachsen könnte auch einem anderen Gegenstand [etwa einer Blume] zukommen.)

Von einem Begriff gilt nun, daß er Seinsheiten intendiert, und zwar entweder Gegenstände oder Bestimmungen. Von einer Aussage gilt dagegen, daß sie Sachverhalte intendiert. Jedoch kann ein Begriff keine Sachverhalte und eine Aussage keine Seinsheiten intendieren.

2.3. Essentielle und akzidentelle Bestimmungen

In Abhängigkeit von den Merkmalen eines Begriffes (dies kann erst später gezeigt werden; vgl. 7.3.1.1.) teilt man die von diesen Merkmalen intendierten Bestimmungen in essentielle (wesentliche; essentia = Wesen) und akzidentelle (unwesentliche; ac-cidens = zu-fällig) Bestimmungen auf. Eine essentielle Bestimmung ist eine solche, die dem Wesen des von ihr bestimmtwerdenden Gegenstandes in der Weise inhäriert oder innewohnt, daß sie nicht fehlen kann, ohne daß der Gegenstand seine Wesensverfassung verliert (Zum Beispiel ist die Rundheit eine essentielle Bestimmung der Kugel, die *allen* Kugeln stets zukommen muß.) Dagegen ist die akzidentelle Bestimmung eine solche, die dem von ihr bestimmtwerdenden Gegenstand adhäriert oder anhaftet und deshalb fehlen kann, ohne damit die

Wesensverfassung des Gegenstandes zu zerstören. (Zum Beispiel ist die Blauheit eine akzidentelle Bestimmung der Kugel, die *nicht* allen Kugeln zukommt und auch bei den Kugeln, bei denen sie vorkommt, fehlen könnte, ohne deren Wesen zu zerstören.)

Dementsprechend kann man den Sachverhalt, der vorliegt, wenn einem Gegenstand eine essentielle Bestimmung zukommt, als essentiellen oder auch als analytischen Sachverhalt bezeichnen, weil eine weitere Auflösung (ana-lysis) des Gegenstandes um diese essentielle Bestimmung nicht möglich ist. Umgekehrt kann man den Sachverhalt, der vorliegt, wenn einem Gegenstand eine akzidentelle Bestimmung zukommt, als akzidentellen oder auch als synthetischen Sachverhalt bezeichnen, weil der Gegenstand aus einer weiteren, akzidentellen Bestimmung zusammengesetzt (syn-thesis = Zusammensetzung) ist, die nicht zu dem Wesen dieses Gegenstandes gehört. Wenn eine Bestimmung mehr als einem Gegenstand, also einer Klasse von Gegenständen zukommt, so gilt, daß die Bestimmung, sofern sie eine essentielle ist, allen Gegenständen einer Klasse zukommen *muß*, und sofern sie eine akzidentelle ist, nicht allen Gegenständen einer Klasse zukommen *kann*.

2.4. Sachverhaltsarten

2.4.1. Attributive und relationale Sachverhalte

Ein attributiver Sachverhalt liegt dann vor, wenn einem Gegenstand oder einer Klasse von Gegenständen eine Bestimmung zukommt, die man aufgrund ihrer besonderen Bezogenheit auf die Gegenstände als einwertig oder monovalent bezeichnen kann. (Die Aussage «Bäume wachsen» intendiert als Designate eine Klasse attributiver Sachverhalte.) Ein relationaler Sachverhalt oder kurz eine Relation liegt dann vor, wenn einem oder mehreren Gegenständen (Referens) oder einer oder mehreren Klassen von Gegenständen in Beziehung zu einem anderen Gegenstand oder anderen Gegenständen (Relat) beziehungsweise zu einer anderen Klasse oder zu anderen Klassen von Gegenständen eine Bestimmung zukommt, die man aufgrund ihrer besonderen Bezogenheit auf die Gegenstände als mehrwertig oder polyvalent bezeichnen kann. (Die Aussage «Diese Häuser sind größer als jene Bäume» intendiert als Designate eine Klasse relationaler Sachverhalte oder Relationen.)

Die Definition der Relation hat durch das «in Beziehung zu», was auch heißen könnte «in Relation zu», einen tautologischen Einschlag. Die Relation ist jedoch wie alle anderen Seinsformen derart elementar, daß es unmöglich sein *muß*, hier Tautologien zu vermeiden, weil es «unterhalb» der Seinsformen nichts mehr gibt, worauf zur Vermeidung von Tautologien Rekurs genommen werden könnte. Dasselbe gilt auch besonders für die Unterscheidung zwischen bestimmender und bestimmtwerdender Seinsheit, weil die Bestimmung nicht bestimmt, also nicht definiert werden kann, ohne daß man wieder eine Bestimmung angibt.

Diese Tautologien sind indes keine Fehler, sondern nur ontologische Grenzfälle.

2.4.2. Komplexere Sachverhalte

Der relationale Sachverhalt ist bereits wesentlich komplexer als der attributive Sachverhalt. Ein attributiver oder relationaler Sachverhalt kann jedoch nun selbst wieder bestimmt werden, wodurch ein noch komplexerer Sachverhalt entsteht. (Zum Beispiel intendiert die Aussage «Das Scheinen der Sonne erwärmt» einen solchen Sachverhalt, der sich aus einem einfachen attributiven Sachverhalt [Die Sonne scheint] und einer monovalenten Bestimmung [Erwärmen] zusammensetzt.) Weiterhin können Sachverhalte zu anderen Sachverhalten in bestimmten Relationen stehen. (Zum Beispiel intendiert die Aussage «Es ist besser, wenn die Sonne scheint, als wenn es regnet» einen solchen Sachverhalt, der sich aus zwei einfachen Sachverhalten [Die Sonne scheint; es regnet] zusammensetzt, die durch das Bessersein [polyvalente Bestimmung] bestimmt werden.)

In den genannten Fällen fungieren die einfachen Sachverhalte als Gegenstände komplexerer Natur. Da Sachverhalte mithin selbst wieder bestimmt werden können, indem sie als Gegenstände fungieren, ist der Komplexität der Sachverhalte keine direkte Grenze gesetzt. Die Welt selbst kann als ein riesiger Sachverhalt angesehen werden, der alle weniger komplexen Sachverhalte enthält. Für die komplexeren Sachverhalte gilt prinzipiell das, was für die einfachen attributiven und relationalen Sachverhalte gesagt wurde. Alle komplexeren Sachverhalte lassen sich geistig in die einfachen oder elementaren Sachverhalte zerlegen.

2.5. Funktionswandel und Funktionskonstanz der Seinsheiten

2.5.1. Funktionswandel

Die Funktionen der Seinsheiten und aller höheren seinsheitlichen Gebilde als Gegenstände oder als Bestimmungen sind nur innerhalb eines vorgegebenen Sachverhaltes konstant. Im Zuge der Veränderung der Welt (wenn also die Sachverhalte modifiziert werden) und in Abhängigkeit von der Betrachtungsweise des Erkennenden können Gegenstände als Bestimmungen und Bestimmungen als Gegenstände erkannt werden. (In den Aussagen «Dieses Buch ist blau» und «Die Bläue dieses Buches ist schöner als die Bläue jenes Buches» intendieren die zwei Begriffe der Blauheit einmal eine Bestimmung und einmal einen Gegenstand.)

Auch tragen komplexe Gegenstände kleinere Gegenstände oder Elemente in sich, die als Bestimmungen des komplexeren Gegenstandes fungieren. Je größer man die Gegenstände faßt (etwa Erde, Welt) um so reicher ist die Vielfalt der Zustände und Vorgänge im Innern; je kleiner man die Gegenstände faßt (etwa Zelle, Atom), um so reicher ist die Vielfalt der Umstände um sie herum.

2.5.2. Funktionskonstanz

Obwohl die Grenze zwischen der Funktion einer Seinsheit als Gegenstand oder als Bestimmung eine fließende ist, kann die Reduktion auf die eine oder die andere Seinsheit nicht vollzogen werden, weil Gegenstand und Bestimmung korrelative Seinsheiten sind. Verzichtete man auf den Begriff des Gegenstandes, so müßte man auch auf den Begriff der Bestimmung verzichten.

Es ist eine evidente Einsicht, daß von einem Gegenstand nichts mehr übrig bliebe, wenn alle Bestimmungen aufgehoben würden, weshalb bisweilen irrigerweise angenommen wird, man könne alles auf Bestimmungen reduzieren. Umgekehrt lassen sich viele Bestimmungen (etwa die Farbe) als ein Komplex elementarster Gegenstände auffassen, weshalb bisweilen irrigerweise angenommen wird, man könne alles auf Gegenstände reduzieren. Doch sind dies extreme Betrachtungsweisen, die jeweils ein Korrelat unterschlagen; denn ein Bestimmendes kann ohne ein Bestimmtwerdendes nicht sein, so wie auch umgekehrt ein Bestimmtwerdendes ohne ein Bestimmendes nicht sein kann.

2.6. Kritische Zusätze

Die Begriffe «Gegenstand» und «Bestimmung» gehören zu den problematischsten Grundbegriffen der traditionellen Ontologie. Von Aristoteles und der Scholastik als *substantia* und *accidens* systematisch entwickelt, wurden sie in der Aufklärungszeit (besonders von David Hume) aufs heftigste bestritten. Am schwierigsten ist wohl die Weise der Bindung (Inhäsion oder Adhäsion) zu verstehen, die zwischen Gegenstand und Bestimmung vorliegt, eine Bindung die, bei Lichte betrachtet, ausgesprochen irrational genannt werden kann. Doch ist ihre Existenz und mithin die Existenz von Gegenstand und Bestimmung nicht im Ernst zu leugnen. Wenn es übrigens zweifelhaft ist, ob ein Begriff Seinsheiten oder eine Aussage Sachverhalte intendieren, so ist es meist auch zweifelhaft, ob sie überhaupt etwas intendieren. (Wenn es zum Beispiel zweifelhaft ist, ob der Begriff «Zeit» Gegenstände oder Bestimmungen als Designate hat, so ist man berechtigt zu fragen, ob er überhaupt ein objektiver Begriff ist, also ob er überhaupt etwas intendiert.)

Was die Sprache anlangt, so darf man sagen, daß der Gegenstandsbegriff und der Bestimmungsbegriff nicht bloß in den indogermanischen, sondern überhaupt (und wohl auch notwendigerweise) in allen Sprachen verwurzelt sind, denn die grammatischen Termini «Subjekt» und «Prädikat» beziehungsweise «Substantiv», «Verb» usw. sind doch wohl nur grammatische Ausdrücke für den Gegenstands- und den Bestimmungsbegriff. Sinngemäßes gilt auch für Satz und Aussage. Es ist deshalb auch klar, daß sich die zwei Seinsheitbegriffe und der Sachverhaltsbegriff im Rahmen der Sprache nicht negieren lassen, weil jede Negation in Gestalt einer Aussage (beziehungsweise eines Satzes) auftreten würde, die einen Sachverhalt intendierte und deren Begriffe, aus denen sich die Aussage konstituiert, selbst Gegenstände bzw. Bestimmungen intendierten. (Mit der Aussage «Es gibt nur Gegenstände» wird beispielsweise den Gegenständen eine Bestimmung, nämlich die der Existenz, zugeordnet. Dadurch hebt sich die Aussage selbst auf.) Wenn sich auch die drei Seinsformen (Gegenstand, Bestimmung, Sachverhalt) nicht innerhalb der Sprache leugnen lassen, so ist damit indessen noch nicht erwiesen, ob es nicht noch *weitere* als die drei genannten Seinsformen gibt, die jedoch freilich nicht als komplexe und deshalb reduzible Seinsheiten oder Sachverhalte fungieren dürften, was stets dann gegeben wäre, wenn diese weiteren Seinsformen bestimmt würden oder selbst bestimmten. Allein eine mögliche Erweiterung der Seinsformen würde nur die gegebene Aufstellung vervollständigen, nicht dagegen aufheben. Was also der Mann von der Straße als Ding und Eigenschaft, der Grammatiker als Subjekt und Prädikat, der Philosoph als *substantia* und *accidens* und wir hier als Gegenstand und Bestimmung bezeichnen, ist durchaus als existierend anzusehen.

Die Begriffe «Ding» und «Eigenschaft» sind übrigens nicht so umfassend wie die Begriffe «Gegenstand» und »Bestimmung», weil der Begriff «Ding» nicht ohne weiteres auf Personen und auf geistige Gebilde angewendet werden kann und weil der Begriff «Eigenschaft» nicht auf Vorgänge (Tätigkeiten) zutrifft. Deshalb haben wir hier im allgemeinen die Begriffe «Gegenstand» und «Bestimmung» vorgezogen.

Es sei abschließend darauf hingewiesen, daß wir uns in dieser Abhandlung auf die real-existenten Seinsformen beschränken werden, weil das Wesen der ideal-existenten Seinsformen ontologisch nicht einwandfrei geklärt ist (vgl. 3.6.1.).

3. GNOSEOLOGIE UND SEMANTIK

3.1. Bewußtseinsakte

Das Wort «Erkenntnis» intendiert zweierlei Begriffe: den Begriff
des Erkenntnisaktes (das Erkennen) und den Begriff des Erkenntnis-
resultates (das Erkannte). Der Erkenntnisakt fällt unter die apperzeptiven Akte, also unter diejenigen Bewußtseinsakte, bei denen das
bewußtwerdende Ich auf ein Objekt gerichtet ist. (ad-per-ceptio =
Erfassung, Bewußtwerdung. So ist die sinnliche Wahrnehmung ein
Apperzeptionsakt, denn das apperzipierende Ich ist auf ein Sinnes-
objekt gerichtet.) «Apperzeption» bedeutet hier also «gegenständliche
Bewußtwerdung» und wird infolgedessen hier *nicht* – wie nach
Wundt üblich – als Pendant zum Begriff der Perzeption verstanden.
Dadurch kann unser Apperzeptionsbegriff direkt auf den Intentionsbegriff bezogen werden. Im Gegensatz dazu gibt es auch zuständliche,
auf kein (bewußtseinstranszendentes) Objekt gerichtete Bewußtseinsakte (etwa zuständliche Gefühle). Alle Apperzeptionsakte stellen
zweigliedrige Relationen zwischen dem apperzipierenden Ich und
den Apperzeptionsobjekten dar. Die Apperzeptionsobjekte sind
Seinsheiten oder Sachverhalte. Die Apperzeptionsakte werden durch
Spontaneität (Selbsttätigkeit) und Rezeptivität (Empfänglichkeit)
charakterisiert, je nachdem ob sich das apperzipierende Ich dem
Objekt gegenüber aktiv oder passiv verhält und ob das Objekt auf
das apperzipierende Ich einwirkt oder nicht.

3.2. Der Erkenntnisakt

ist nun ein solcher Apperzeptionsakt, bei dem das Ich in seiner
Funktion als erkennendes Subjekt das zu erkennende Objekt so zu
erfassen versucht, wie es an sich beschaffen ist. Dabei gehen weder
das Subjekt noch das Objekt darin auf, allein Relate (Bezugsglieder)
dieser gnostischen (die Erkenntnis betreffenden) Relation zu sein.
Vielmehr ist das Objekt das, was es ist, auch unabhängig von aller
Erkenntnis und wird auch während des Erkenntnisaktes von dem
erkennenden Subjekt kaum verändert. (Etwas anders liegen die
Dinge bei der Erkenntnis subatomarer Vorgänge, worauf wir hier
allerdings nicht eingehen können.) Das Erkenntnisobjekt verharrt

in einem für den Erkenntnisakt charakteristischen Ansichsein, ein Ansichsein, das aber etwa auch den Wahrnehmungsobjekten zukommt. (Zum Beispiel ist ein Baum das, was er ist, ganz unabhängig davon, ob ich ihn wahrnehme [erkenne] oder nicht.) Dagegen ist zwar das Subjekt auch dann existent, wenn es nicht als Relat eines Erkenntnisaktes, aber dafür als Relat eines anderen Apperzeptionsaktes fungiert; doch ist es weiterhin kaum zu belegen, ob das Ich auch noch dann ein ansichseiendes, existentes Ich genannt werden kann, wenn es gar keine Apperzeptionsakte ausführt (wie etwa im Schlaf). Vielmehr darf man sagen, daß die Apperzeptibilitäten, also die Fähigkeiten zur Ausführung apperzeptiver Akte, die einzig essentiellen Bestimmungen des apperzipierenden Ichs darstellen und mithin das Ich auflösen, wenn sie fehlen. (Deshalb scheint die Aussage «Ich schlief» sinnlos zu sein, weil während des traumlosen Schlafes wohl gar kein Ich da war.)

3.2.1. Aktives und passives Subjekt

Im Erkenntnisakt sind Subjekt und Objekt miteinander verbunden. Doch ist die Bindung eine einseitige, vom Subjekt ausgehende, denn allein das Subjekt richtet sich auf das Objekt, intendiert es, will es erfassen und ist deshalb im Akt des Erkennens allein aktiv. Im Gegensatz dazu ist das Objekt völlig passiv, steht gänzlich indifferent zu den Intentionen des Subjektes. Doch auch das Subjekt ist insofern passiv, als es das Objekt nicht allererst schafft (wie ein Handlungsobjekt), sondern schlicht rezeptiv so aufnimmt, wie es auch schon vor der Erkenntnis beschaffen war. Die Aktivität des erkennenden Subjektes bezieht sich deshalb nur auf die Rezeption (und nicht auf die Konstruktion) des Objektes.

3.3. Das Erkenntnisresultat

ist die Wiedergabe (Reproduktion) des intendierten (zu erkennen gewünschten) Objektes im Bewußtsein des erkennenden oder zu erkennen wünschenden Subjektes, das heißt wir verstehen unter dem Erkenntnisresultat ganz allgemein dasjenige Gebilde, das im Bewußtsein entsteht, wenn die Erfassung eines Objektes intendiert (erstrebt) wird, gleichviel ob das Erkenntnisresultat, oder kürzer gesagt die Erkenntnis, wahr oder falsch ist. Eine Erkenntnis ist dann

wahr, wenn sie inhaltlich mit dem intendierten Objekt übereinstimmt, wenn also die Wiedergabe eine objektive ist; und eine Erkenntnis ist dann falsch, wenn sie inhaltlich mit dem intendierten
Objekt nicht übereinstimmt, wenn also die Wiedergabe eine subjektive ist. Was für die Erkenntnis gilt, trifft auch für die Aussage
zu, die den Inhalt der sprachlich vermittelten Erkenntnis darstellt.
Eine Aussage ist dann wahr oder falsch, wenn sie inhaltlich mit dem
von ihr intendierten Objekt übereinstimmt oder nicht. Der Begriff
«Wahrheit» intendiert demnach eine Bestimmung, die einer Erkenntnis oder einer Aussage stets dann zukommt, wenn zwischen
der Erkenntnis oder der Aussage und dem von ihnen intendierten
Objekt eine *inhaltliche* Adäquatheit vorliegt, die gleichwohl keine
ontische Ähnlichkeit darstellen muß, weil Erkenntnis und Aussage
als Bewußtseinsgebilde von den (zumeist) bewußtseinstranszendenten Objekten sowieso ontisch völlig verschieden sind.

Die Objekte der Erkenntnisse und entsprechend die Objekte (Designate) der Aussagen sind stets *Sachverhalte*, denn nicht Seinsheiten
werden erkannt, sondern es wird erkannt, *daß* und *wie* Seinsheiten
sind, und das sind Sachverhalte. (Man kann also nicht einen Baum
erkennen, sondern nur erkennen, daß ein Baum ist und wie er ist
usw.)

3.4.   Verifikation

Die Definition des Begriffes «Wahrheit» bereitet, wie wir sehen,
keine großen Schwierigkeiten. Mit großen Schwierigkeiten ist jedoch
die Aufgabe verbunden, bei einer vorgegebenen Erkenntnis nach-
zuprüfen, ob diese durch Wahrheit oder Falschheit bestimmt wird.
Wenn dabei die Wahrheit einer Erkenntnis (oder einer Aussage)
erwiesen wird, so sprechen wir von einer Verifikation (Bewahrhei-
tung; verus = wahr). Wenn dagegen erwiesen wird, daß eine Erkenntnis falsch ist, so sprechen wir von einer Falsifikation (falsus =
falsch). Wenn etwa nachgewiesen wird, daß *nicht* alle Tiere Lungen-
atmer sind, wird die entsprechende Aussage falsifiziert. Das Wort
«Falsifikation» intendiert übrigens im allgemeinen Sprachgebrauch
den Begriff «Fälschung». Die Verifikation beziehungsweise Falsifikation einer Erkenntnis geschieht mit Hilfe von Kriterien. (Ein
Kriterium für die Erkenntnis «Alle Bäume wachsen» wäre etwa die
sich bei der Untersuchung aller Bäume einstellende Evidenz [Offen-

kundigkeit], daß alle Bäume wachsen.) Leider wurden bislang noch keine ausreichenden Kriterien für *beliebige* Erkenntnisse gefunden, und solange noch keine umfassenden Kriterien gefunden worden sind, können Meinungsverschiedenheiten zwischen Wissenschaftlern kaum beschwichtigt werden. Die Schwierigkeit, die nämlich bei der Suche nach Kriterien für die Verifikation besteht, hat ihre Ursache in der Unmöglichkeit der Umgehung des regressus in infinitum (des unendlichen Zurückschreitens) zu weiteren Verifikationen. Es ist nämlich evident, daß eine Verifikation (beziehungsweise Falsifikation) selbst wieder die Funktion auf sich nehmen kann, wahr oder falsch zu sein. (So kann etwa die verifizierende Aussage «Es ist wahr, daß alle Bäume wachsen, weil ...» selbst wieder wahr oder falsch sein.) Wollte man nun eine Verifikation selbst wieder verifizieren, so bedürfte es einer weiteren Verifikation vermöge weiterer Kriterien und so in infinitum. Es gilt demnach Kriterien zu finden, die sowohl für die Verifikation einer Erkenntnis als auch für die Verifikation dieser Verifikation der Erkenntnis hinreichend sind. Derartige Kriterien wurden jedoch bislang noch nicht entdeckt.

Ein einziges Kriterium für die Verifikation aller Erkenntnisse gibt es sicherlich nicht, da erhebliche Unterschiede zwischen den einzelnen Erkenntnisarten und den einzelnen Erkenntnisobjekten bestehen, wobei die Objekte die Erkenntnisarten fordern. Zwei Kriterien gelten übrigens allgemein für ausreichend, die aber zweifelsohne noch höchst unzureichend sind, nämlich erstens die subjektive Überzeugung, daß eine Erkenntnis wahr sei, und zweitens die subjektive Überzeugung, daß andere Subjekte ebenfalls dieser Ansicht sind. Es handelt sich demnach um subjektives und intersubjektives Evidenzgefühl.

3.5.   Realismus und Idealismus

Wir können eine Unterscheidung treffen zwischen bewußtseinsimmanenten (im-manere = innewohnen) und bewußtseinstranszendenten (tran-scendere = überschreiten) Erkenntnisobjekten. (Wird etwa in der Semantik der Begriff zum Gegenstand der Erkenntnis gemacht, so handelt es sich um ein bewußtseinsimmanentes Erkenntnisobjekt. Wird dagegen etwa der Baum und seine Funktionen zum Gegenstand der Erkenntnis gemacht, so handelt es sich um ein bewußtseinstranszendentes Erkenntnisobjekt.) Im Alltagsleben treffen wir ähnliche Unterscheidungen. Da sagen wir etwa, daß sich ein Baum nicht im Bewußtsein befindet, sondern außerhalb des Bewußtseins, und wir behaupten, daß der Baum auch dann noch existiert, wenn er nicht Inhalt des Bewußtseins ist. Diesen Standpunkt, auf dem auch unsere Gnoseologie basiert, nennt man den gnoseologischen Realismus. Dagegen haben einsichtige philosophische Köpfe eingewandt, daß wir nicht bloß eine Vorstellung des Baumes im Bewußtsein hätten, sondern daß auch die Unterscheidung, die wir zwischen der Vorstellung des Baumes und dem Baume «da draußen» haben, bloß eine weitere Vorstellung im Bewußtsein sei. So weit mit dem Realismus durchaus übereinstimmend, wird jedoch behauptet, daß es aufgrund der zwei oben genannten Prämissen (Voraussetzungen) überhaupt keinen Baum «da draußen» gebe. So entstand der gnoseologische Idealismus (denn man hielt den Baum nicht mehr für real, sondern nur noch für eine bewußtseinsimmanente Idee). Folgerichtig wurde weiter geschlossen, daß alle anderen Subjekte nur Vorstellungen im Bewußtsein des idealistischen Philosophen seien, so daß schließlich nur noch der idealistische Philosoph existiert hätte, wenn die erste Konklusion, nämlich daß kein realer Baum existiere, stringent gewesen wäre. Sie war es jedoch nicht, und so bleibt es mangels hinreichender Verifikationskriterien bis heute ein ungelöstes Problem, welches Kant als Skandal der Philosophie bezeichnete, nämlich die Frage ob es eine reale Außenwelt gebe oder nicht. Die eben an einem Beispiel exemplifizierte realistisch-idealistische Aporie (ungelöste Streitfrage) manifestiert eine krasse Divergenz zwischen Alltagsrealität und berechtigter philosophischer Spekulation. Die These des Idealismus, der schließlich in den Solipsismus als den (offenbaren) Gipfel der Absurdität einmündet (beim Solipsist existiert per definitionem nur noch sein Bewußtsein; solus ipse = er selbst allein), geht dahin, daß das Subjekt in seiner Bewußtseinswelt gefangen ist und insofern nicht zwischen Sein und Nichtsein der von ihm intendierten Erkenntnisobjekte unterscheiden kann, als alles, was möglicherweise real existent ist, für das apperzipierende Ich stets nur als Bewußtseinsinhalt gegeben ist und nicht als existentes Objekt selbst. Wenn wir uns hier dem realistischen Standpunkt anschließen, so geschieht dies nicht deshalb, weil wir den Idealismus für absolut falsch halten (dies läßt sich ohne Kriterien nicht ausmachen), sondern weil wir mit dem Realismus der Alltagswirklichkeit und dem gesunden Menschenverstand am ehesten nahekommen.

3.6. Die Erkenntnisarten

(Vorbemerkung: Während wir bisher aus methodologischen Gründen den Begriff «Erkenntnis» sowohl auf wahre als auch auf falsche Erkenntnisse angewandt haben, werden wir im folgenden entsprechend dem adäquaten Sprachgebrauch den Begriff der Erkenntnis nur noch im Sinne der wahren Erkenntnis verwenden, es sei denn, daß das Prädikat «falsch» hinzugefügt wird.)

Die Erkenntnisakte lassen sich danach, ob die Erkenntnisresultate unmittelbar (direkt) oder mittelbar (indirekt) gewonnen werden, in unmittelbare und mittelbare Erkenntnis(akt)arten aufteilen. Die unmittelbaren Erkenntnisarten funktionieren ohne die Hilfe eines anderen Subjektes und ohne die Abhängigkeit von vorherigen Erkenntnissen. Zu den unmittelbaren Erkenntnisarten zählen besonders die empirische Erkenntnis und die undeduktive apriorische Erkenntnis. Die empirische Erkenntnis ist erkennendes Wahrnehmen (empeiria = Erfahrung), die apriorische Erkenntnis ist erkennendes Denken (a priori = von vorherein, also ohne empirische Erkenntnis funktionierend).

Zu den mittelbaren Erkenntnisarten zählen besonders die Schlußfolgerung (die deduktive apriorische Erkenntnis), die nur in Abhängigkeit von anderen Erkenntnissen funktioniert, und ferner die sprachliche Mitteilung, die nur in Abhängigkeit von einem anderen, die Erkenntnis vermittelnden Subjekt funktioniert. Die nunmehr gebotene Übersicht kann im Rahmen dieser Abhandlung die Erkenntnisarten freilich nicht in extenso behandeln; es werden vielmehr des weiteren nur solche Fakten genannt, die für die Semantik von direkter Bedeutung sind.

3.6.1. Empirische und apriorische Erkenntnis

Die empirische Erkenntnis ist eng mit der sinnlichen Wahrnehmung verknüpft, und die apriorische Erkenntnis ist eng mit dem vorstellungsmäßigen Denken verbunden. Jede empirische Erkenntnis ist auch zugleich sinnliche Wahrnehmung, aber nicht jede Wahrnehmung ist auch empirische Erkenntnis, denn es gibt auch irrende, aber gleichwohl nicht unbedingt sinnestäuschende Wahrnehmungen innerhalb der Grenzen möglicher sinnlicher Gegebenheit. Wenn also am Ende einer sinnlichen Wahrnehmung ein (wahres) Erkenntnisresultat steht, sprechen wir von empirischer Erkenntnis oder von erkennendem Wahrnehmen. Ähnlich liegen die Dinge bei der apriorischen Erkenntnis. Jede apriorische Erkenntnis ist auch zugleich ein Denkakt, aber nicht jeder Denkakt ist eine apriorische Erkenntnis, denn man kann zwar denken, was man will innerhalb der Grenzen möglicher Vorstellbarkeit, aber man kann nicht apriorisch erkennen, was man will, weil sich jede Erkenntnis und somit auch die apriorische Erkenntnis am Erkenntnisobjekt ausrichten muß. Wenn also am Ende eines Denkaktes ein (wahres) Erkenntnisresultat steht, so sprechen wir von apriorischer Erkenntnis oder von erkennendem Denken.

Die Verbindung zwischen Wahrnehmung und empirischer Erkenntnis ist eine viel größere als diejenige zwischen Denken und apriorischer Erkenntnis, weil das empirisch erkennende Subjekt mit dem entsprechenden Objekt in direktem Kontakt steht, während das apriorisch erkennende Subjekt mit dem entsprechenden Objekt *nicht* in direktem Kontakt steht. (Selbst wenn die Distanzsinne Auge und Ohr als Mittel der empirischen Erkenntnis eingesetzt werden, stellen Licht und Schall eine direkte Kontaktbrücke her; dagegen liegt etwa bei der apriorischen Erkenntnis, daß es im nächsten Winter schneit, kein solcher direkter Kontakt zwischen dem erkennenden Subjekt und dem Sachverhalt vor, der in diesem Fall sogar erst in der Zukunft sein wird.)

Empirische Erkenntnis ist stets auf reale Sachverhalte bezogen, welche sich in die Kategorien von Raum und Zeit einordnen lassen müssen. Weil ferner ein direkter Kontakt zwischen dem empirisch erkennenden Subjekt und den entsprechenden Objekten hergestellt werden muß, handelt es sich bei der empirischen Erkenntnis meist um solche Sachverhalte, die in Singularität, in räumlicher Nähe und in der Gegenwart existent sind.

Für die apriorische (deduktive) Erkenntnis gilt ebenfalls die mögliche Bezogenheit auf reale Sachverhalte. Problematisch ist allerdings, ob die apriorische Erkenntnis auch auf ideale Sachverhalte bezogen sein kann, von denen gelten müßte, daß sie unräumlich und unzeitlich sind, aber trotzdem existieren. Als solche Sachverhalte kämen die mathematischen und die rein logischen Gebilde in Frage, doch handelt es sich hier wohl um Formstrukturen *realer* Sachverhalte und nicht um platonisch-ideale Gebilde. Was dann über diese Formstrukturen realer Sachverhalte hinausgeht (etwa imaginäre Zahlen, unendliche Zahlenreihen und ähnliche Abstraktionen von der Wirklichkeit), kann dann freilich nicht mehr als transzendentes

Objekt apriorisch erkannt werden, sondern wird nur noch als bewußtseinsimmanentes Gebilde für richtig, also widerspruchsfrei, empfunden.

Die realen (und idealen) Objekte der apriorischen Erkenntnis können im Gegensatz zu den realen Sachverhalten der empirischen Erkenntnis in Pluralität auftreten.

Schließlich gilt noch folgende Unterscheidung: Die empirische Erkenntnis kann sowohl analytische als auch synthetische Sachverhalte zum Objekt haben, während die apriorische Erkenntnis nur analytische Sachverhalte zum Objekt haben kann. Auf diese semantisch höchst wichtige Unterscheidung kommen wir später noch zurück.

3.6.2. Die Schlußfolgerung

ist eine besondere indirekte apriorische Erkenntnisart, bei der vermöge bestimmter Deduktionsformen (Denkformen) aus einer (unmittelbarer Schluß) oder mehreren (mittelbarer Schluß) vorgegebenen Erkenntnissen oder Aussagen (den Prämissen) eine neue Erkenntnis gewonnen wird (die Konklusion), die sich jedoch inhaltlich mit den Prämissen deckt, insofern die Konklusion nur den impliziten Gehalt der Prämissen expliziert (im-plicitus = hinein-geflochten, semantisch enthalten; explicare = entflechten, semantisch manifest machen). (Beispiel: Aus den zwei Prämissen «Alle Hunde sind Säugetiere» und «Alle Dackel sind Hunde» ergibt sich die Konklusion «Alle Dackel sind Säugetiere», die schon in den zwei Prämissen implizite enthalten ist. Die allgemeine Deduktionsform dazu lautet: Wenn alle A zugleich B sind, und alle C zugleich A sind, so sind alle C zugleich B.) Die Wahrheit der Konklusion setzt erstens die Wahrheit der Prämissen und zweitens die Allgemeingültigkeit der applizierten Deduktionsform voraus. (Allerdings gibt es auch – unechte – wahre Konklusionen, die auf falschen Voraussetzungen beruhen.)

Die Deduktionsformen sind, semantisch betrachtet, Aussagenstrukturen, die zu Aussagen werden, wenn sie inhaltlich durch Begriffe ausgefüllt werden. (Wenn man also etwa für die Variablen der oben genannten Deduktionsform entsprechende Begriffe substituiert [einsetzt].) Wenn die Deduktionsformen zu Aussagen werden, intendieren sie komplexe Sachverhalte, die sich zumindest aus zwei elementaren Sachverhalten konstituieren, weil eine Deduktion aus zumindest zwei Aussagen besteht (eine Prämisse und eine Konklusion).

Diese komplexen Gebilde sind Gegenstand der (Aussagen-)Logik, die durch die Formalisierung der Deduktionsformen besonders in den letzten Jahrzehnten große Fortschritte machte.

3.7. Die sprachliche Mitteilung als indirekte Erkenntnis

3.7.1. Die sprachliche Mitteilung

Während ein einziges Subjekt die Funktion auf sich nehmen kann, empirisch, apriorisch oder deduktiv zu erkennen, funktioniert die Erkenntnis durch sprachliche Vermittlung nur durch ein zweites, vermittelndes Subjekt. Es vermittelt also das eine, sprechende Subjekt dem anderen, verstehenden Subjekt seine Erkenntnisse kraft der Sprache. Dabei ist die Sprache in ihrem materiellen Aspekt (Wort und Satz) ein komplexes Zeichensystem, das, rein gnoseologisch gesehen, zur Mitteilung bereits erworbener Erkenntnisse dient, die somit nicht im ursprünglichen Sinne neu genannt werden können.

Der Zweck der Sprache ist schlicht darin begründet, daß nicht alles, was der eine erkennt, auch der andere erkennen kann, selbst wenn er dieselbe Erkenntniskraft (physisches Vermögen, Intelligenz usw.) besitzt, denn die Grenze möglicher Erkennbarkeit wird hier nicht durch die Erkenntnisfähigkeiten des Subjektes bedingt, sondern durch die natürliche Grenze möglicher Gegebenheit. Dabei ist die Grenze der Erkennbarkeit in den idiographischen (idios = eigentümlich) Wissenschaften enger gezogen als in den nomothetischen (nomos = Gesetz) Wissenschaften, wobei wir unter den idiographischen Wissenschaften diejenigen Wissenschaften verstehen, die sich mit den individuellen Sachverhalten befassen (etwa Geschichte), während wir unter den nomothetischen Wissenschaften diejenigen Wissenschaften verstehen, die sich mit allgemeinen Gesetzen beschäftigen (etwa Physik). Daß bei diesen Wissenschaften die Grenze unterschiedlich gezogen ist, rührt daher, daß das Allgemeine jedem zugänglich ist, während das Besondere nur einzelnen gegeben ist.

Hier also, wo der eine seine definitive Grenze des für ihn Erkennbaren findet, während ein anderer diese Grenze nicht kennt, entsteht bei dem einen der Wunsch, die versagten Erkenntnisse von dem anderen zu erwerben, der sie erfahren hat, wie auch umgekehrt das

Verlangen bei dem anderen entsteht, seine Erkenntnisse demjenigen mitzuteilen, dem sie verschlossen blieben. Wenn man nun weiterhin bedenkt, daß nicht bloß fast alle Erkenntnisse der idiographischen Wissenschaften, sondern auch die meisten nomothetischen Erkenntnisse durch sprachliche Vermittlung erlangt werden, also durch die Lehren des anderen gelernt werden (in Schule, Universität usw.), so wird die ungeheure Bedeutung der sprachlichen Vermittlung zur Wissenserweiterung unmittelbar manifest, denn es wäre auch dort, wo man keine Erkennbarkeitsgrenzen vorfindet, ein unpraktisches Unternehmen, sich auf diesem Gebiet nun die Erkenntnisse, die bereits von anderen gemacht wurden, nochmals selbständig anzueignen, wo doch die Erkenntnisgewinnung durch Lehrer, Bücher usw. wesentlich schneller und einfacher vonstatten geht. Ein Mensch übrigens, der völlig ohne sprachlichen Kontakt zu anderen Menschen leben würde, würde in einem animalischen Zustand bleiben.

3.7.2. Die drei Sprachfunktionen

Es gibt insgesamt drei Hauptfunktionen der Sprache: die rationale, die emotionale und die volitionale Sprachfunktion. Die sprachlichen Akte, die im engeren und weiteren Sinne der Mitteilung von Erkenntnissen dienen, wollen wir unter dem Begriff der rationalen Sprachfunktion zusammenfassen, weil jeder Erkenntnismitteilung ein Verstandesakt (ratio = Verstand) vorausgehen muß, denn sinnvolle Aussagen lassen sich nur dann machen, wenn man zuvor gedacht hat. Der rationalen Sprachfunktion steht die emotionale Sprachfunktion gegenüber, die dann gegeben ist, wenn Gefühlen (emotio = Gefühl) sprachlicher Ausdruck verliehen wird. Dabei wird im emotionalen Sprachakt das Subjektive und im rationalen Sprachakt das Objektive wiedergegeben. Die volitionale Sprachfunktion schließlich liegt dann vor, wenn den eigenen Absichten und Wünschen Ausdruck verliehen wird oder wenn man andere durch Worte oder Befehle zu Taten auffordert; also wenn das Subjekt seinen Willen sprachlich kundtut (volitio = Wille).

Die drei Sprachfunktionen sind mithin Ausdrucksweisen der drei menschlichen Bewußtseinsakte des Denkens (Erkennens), Fühlens und Wollens. Daneben gibt es noch einige weniger wichtige Ausdrucksweisen der übrigen Bewußtseinsvorgänge, die sich unter die drei Hauptsprachfunktionen nicht subsumieren lassen (etwa die sprachliche Wiedergabe von Phantasiegebilden).

In dieser Abhandlung wird uns vor allem die rationale Sprachfunktion interessieren, weil sie die wissenschaftliche Sprache betrifft.

3.7.3. Sprechen und Verstehen

Bei der sprachlichen Mitteilung von Erkenntnissen stehen sich immer zwei Subjekte (Personen) gegenüber: der Erkenntnismitteilende, der seine Erkenntnisse in Worte faßt, und der Erkenntniserfahrende, der den Sinn des Ausgedrückten zu verstehen versucht. Dadurch, daß die Erkenntnis indirekt über den Satz als Lautgebilde hinweg vermittelt wird, hängt der Grad der Verstehbarkeit nicht bloß von der Komplexität der vermittelten Erkenntnis ab, sondern auch von der Art und Weise, wie die Erkenntnis ausgedrückt wird, denn eine Erkenntnis läßt sich adäquat und somit leichtverständlich und auch inadäquat und somit schwerverständlich ausdrücken. Ein Satz ist um so adäquater und deshalb um so leichter verständlich ausgedrückt, je mehr die in dem Satz verwandten Wörter sowie der ganze Satzbau dem Sprachgebrauch des Erkenntniserfahrenden entspricht. Zur Erzielung größtmöglichen Verständnisses erweitert man oft das Ausgedrückte durch Redundanzen (tautologieähnliche wiederholende Umschreibungen), denn je öfter und je ausführlicher man etwas ausdrückt, desto größer ist die Wahrscheinlichkeit, daß es adäquat apprehendiert (erfaßt) wird. Übrigens würde eine vollständige Semantik, die anders als unsere elementare Darstellung auch die *komplexesten* Bedeutungsgebilde beschriebe, als das überhaupt schwerstverständliche Werk (Buch) gelten, was den Grad der Verstehbarkeit in *alleiniger* Abhängigkeit von der Komplexität der vermittelten Erkenntnis betrifft. Wäre diese umfassende Semantik dann auch noch inadäquat formuliert, so bestände die Möglichkeit eines Verständnisses nicht. Andererseits gibt es Werke, die zwar wesentlich einfachere Themen zum Gegenstand haben, aber gleichwohl wegen ihres inadäquaten Ausdrucks der formulierten Gedanken gänzlich unverständlich sind.

3.7.4. Die Position der Semantik

ist durch die vorhergehenden Untersuchungen nunmehr genau umrissen. Das Seiende wird im Akt des Erkennens erfaßt, und das

Erkannte wird im Akt des Sprechens mitgeteilt. Während die Gnoseologie ihr Augenmerk auf das Seiende richtet und Kriterien für die adäquate (wahre) Erfassung des Seienden zu geben versucht, richtet die Semantik ihr Augenmerk auf das Erkannte und überdies auf das Seiende und versucht Kriterien für die adäquate Mitteilung von Erkenntnissen zu geben. Dabei hat die Semantik die schwerere Position, denn die Wahrheit des Mitgeteilten wird auf zweifache Weise relativiert: erstens durch die inadäquate Erfassung des Seienden und zweitens durch die inadäquate Mitteilung des adäquat oder inadäquat Erfaßten. Jeder, der seinen Gedanken einen adäquaten Ausdruck verleihen möchte oder das von anderen Ausgedrückte adäquat erfassen will, muß deshalb zumindest um die elementaren semantischen Gesetze wissen.

4. DAS ZEICHEN

4.1. Sprachliche und nichtsprachliche Zeichen

Die Gesamtheit aller Zeichen teilt man vorteilhaft in sprachliche
und nichtsprachliche Zeichen auf, da die sprachlichen Zeichen (Wort
und Satz) wegen ihrer überragenden Bedeutung eine eigenständige
Zeichenklasse bilden, hinter der die nichtsprachlichen Zeichen an
Relevanz für den Informationsverkehr (Kommunikation) stark zu-
rücktreten, besonders auch weil sich jedes nichtsprachliche Zeichen
(etwa Fahne, Geste usw.) semantisch, das heißt bedeutungsmäßig
grundsätzlich durch sprachliche Zeichen ausdrücken läßt (aufgrund
der Universalität der Sprache), obwohl dies aus verschiedenen Gründen nur selten getan wird. (Zum Beispiel wäre es zu umständlich, wenn
ein nichtsprachliches Zeichen wie ein Verkehrsschild durch einen
gleiche Anweisungen auf sprachlichem Wege erteilenden Verkehrs-
polizisten ersetzt würde.)

Wort und Satz auf der einen und Begriff und Aussage auf der anderen Seite sind Bedeutungsgebilde; doch davon können nur Wort
und Satz Zeichen genannt werden, weil die Zeichen als eine besondere Art der Bedeutungsgebilde nur die bewußtseinstranszendenten
Bedeutungsgebilde darstellen, während Begriff und Aussage bewußt-
seinsimmanent sind. Obwohl das eigentliche Gegenstandsgebiet der
Semantik die vier sprachlichen Bedeutungsgebilde sind, ist es zweckmäßig, vor deren Behandlung einen allgemeinen Überblick über das
Zeichen als solches zu geben, weil sich an dem Zeichen als einem
wohl stets materiellen Gebilde das Wesen der Intention, der Bedeutung und des Designates besonders einfach demonstrieren läßt,
weshalb im folgenden die Beispiele auch ausschließlich aus dem
nichtsprachlichen Bereich gewählt wurden.

4.2. Definition des Zeichens

Zeichen sind Seinsformen (meist Gegenstände oder Bestimmungen),
die semaphorische (bedeutungtragende; phoros = tragend) Eigenschaften haben, welche bei der empirischen Apperzeption derselben
durch den Signorezipienten (Zeichenapperzipierenden; signum =
Zeichen, recipiens = aufnehmend) in dessen Bewußtsein Vorstel-

lungen effizieren (bewirken), worauf der Signorezipient geistig auf die Seinsformen, die die Vorstellungen repräsentieren, hingelenkt wird.

Wenn ein Zeichen vermöge seiner semaphorischen Eigenschaft eine Vorstellung im Bewußtsein des Signorezipienten effiziert, so sprechen wir von der Intention des Zeichens.

Wenn ein Signorezipient vermöge der Vorstellung, die von dem Zeichen hervorgerufen wurde, geistig oder physisch bei möglicher Gegebenheit der Seinsformen auf diese hingelenkt wird, so sprechen wir von der Intention der Vorstellung.

Dabei nennen wir das, was das Zeichen intendiert (nämlich die Vorstellung) das Designat des Zeichens; und die Seinsformen, die von der Vorstellung intendiert werden, nennen wir Designate der Vorstellung (in-tendere = hin-richten; de-signatum = das Bezeichnete, das Intendierte).

Die Bedeutung eines Zeichens ist seine semaphorische Eigenschaft, das heißt diejenige Eigenschaft, vermöge deren das Zeichen sein Designat intendiert. Und die Bedeutung einer durch ein Zeichen intendierten Vorstellung ist die Beschaffenheit der Vorstellung, vermöge deren sie ihr Designat oder ihre Designate intendiert.

Die komplizierten Begriffe: Bedeutung, Intention und Designat sollen nun näher erläutert werden.

4.2.1. Die Bedeutung des Zeichens

Das Wort «Bedeutung» intendiert den Begriff des Wertvollseins (etwa die Bedeutung eines Werkes) und den Begriff der semaphorischen Eigenschaft (etwa die Bedeutung einer Geste). Hier interessiert uns nur der letztere Begriff. Bei einem Zeichen lassen sich zumeist sowohl semaphorische als auch nichtsemaphorische, also rein ontische Eigenschaften unterscheiden, denn ein Zeichen hat auch noch einen ontischen Aspekt, sofern dieser als Bedingung der Existenz des Zeichens fungiert. So hat beispielsweise ein geknotetes Taschentuch als Erinnerungszeichen einen rein ontischen Aspekt, nämliche seine stoffliche Beschaffenheit, und ferner einen semantischen Aspekt, nämlich das Geknotetsein, welch letzterer Aspekt allein die Bedeutung des Zeichens ausmacht, weil nur die semaphorische Eigenschaft des Geknotetseins den ansonsten unsemantischen Gegenstand, der gänzlich andere Funktionen zu erfüllen hat (Naseputzen), in ein Zeichen umwandelt, das, sofern es durch den Signorezipienten apperzipiert wird, in dessen Bewußtsein eine Vorstellung (bei diesem Zeichen etwa die Vorstellung einer Verabredung) effiziert. Die Bedeutung eines Zeichens fungiert gewissermaßen als Ursache für die Entstehung der entsprechenden Vorstellung, die das Designat des Zeichens ist.

4.2.2. Intention und Designat

Das Wort «Intention» intendiert im allgemeinen Sprachgebrauch den Begriff der Absicht (etwa «Er intendierte nach England zu fliegen»; genau zu unterscheiden von «Intension» = Anspannung). In unserer Abhandlung hat das Wort eine wesentlich andere Bedeutung, die sich allerdings etymologisch rechtfertigen läßt; das Wort «Intention» intendiert nämlich hier den Begriff der Beziehung zwischen einem Zeichen oder einer Vorstellung und den entsprechenden Designaten. Das Wort «Designat(um)» kommt dagegen in der Umgangssprache gar nicht vor und sollte eigentlich «das Intendierte» heißen (was sich allerdings nicht in den Plural setzen läßt und deshalb hier vermieden wird).

In der Umgangssprache sagen wir, daß das Taschentuch die Verabredung bezeichnet (sofern man sich überhaupt jemals die Funktion eines Zeichens klar macht). Dies ist jedoch eine sehr unpräzise Formulierung, denn ein Zeichen selbst kann nicht etwas bezeichnen, weil es eine materielle Seinsform ist. Die Funktion des Bezeichnens kann, wie weiter unten im Zusammenhang mit den deiktischen Zeichen erklärt wird, nur einer Person zukommen. So können wir zwar sagen, daß das Taschentuch als Zeichen mit der Verabredung als eines realen Sachverhaltes in Beziehung steht; wir können aber nicht sagen, daß das Zeichen diese Verabredung bezeichnet. Die einzige Funktion, die ein Zeichen verrichtet, besteht darin, eine bestimmte Vorstellung hervorzurufen, also in unserem Beispiel, nicht die Verabredung zu bezeichnen, sondern die *Vorstellung* der Verabredung zu effizieren, eine Funktion, die wir die Intention des Zeichens nennen. Die Intention eines Zeichens ist also im Falle der Eindeutigkeit eine zweigliedrige Relation zwischen dem Zeichen und der Vorstellung als seinem Designat.

Wir können eine Unterscheidung treffen zwischen der Vorstellung der Verabredung und der Verabredung selbst. Weil der Signorezipient aufgrund der Vorstellung, die er in seinem Bewußtsein hat, auch meistens zugleich an das reale Korrelat dieser Vorstellung denkt, sagen wir ferner, daß die Vorstellung als Designat ihr reales Korrelat intendiert. Wir sagen also, daß die Vorstellung der Verabredung die reale, zukünftige Verabredung intendiert. Diese Unterscheidung ist insofern bedeutsam, als eine Vorstellung kein Designat zu haben braucht und dann auch nichts intendiert. (Was besonders für subjektive Begriffe zutrifft: zum Beispiel können wir uns ein Phantasiewesen [etwa einen Marsmenschen] sehr wohl vorstellen; aber wir denken nicht an das reale Wesen, weil es gar nicht existiert.)

Es gibt also zwei gestufte Intentionen: erstens die Intention der Vorstellung durch das Zeichen und zweitens die Intention der realen Seinsformen durch diese Vorstellung.

4.3.   Mehrdeutigkeit und Bedeutungsgleichheit von Zeichen

Die Mehrdeutigkeit ist eine Eigenschaft *eines* Zeichens, die Bedeutungsgleichheit ist eine Eigenschaft, die *mehreren* Zeichen zur gleichen Zeit zukommt. Wenn ein Zeichen eine Bedeutung hat, so sagen wir, dieses Zeichen sei eindeutig, während wir andererseits von Zwei- oder von Mehrdeutigkeit sprechen, wenn ein Zeichen zwei oder mehrere Bedeutungen hat. Dabei ist ein Zeichen genau dann eindeutig oder mehrdeutig, wenn es ein Designat oder mehrere Designate intendiert, also wenn es eine oder mehrere Vorstellungen effiziert. (Zum Beispiel können ein Gesichtsausdruck, ein Symbol usw. mehrdeutig sein.) Der Ein- und Mehrdeutigkeit steht die Undeutlichkeit gegenüber, bei der es unentschieden bleibt, ob ein Zeichen überhaupt eine Bedeutung hat, mithin überhaupt ein Zeichen ist. (Zum Beispiel kann ein vermodertes Holzschild undeutlich sein.)

Die Bedeutungsgleichheit liegt dann vor, wenn verschiedene Zeichen dasselbe Designat haben. (Zum Beispiel kann sowohl der ausgestreckte Arm eines Schutzmannes wie auch ein bestimmtes Verkehrslicht dieselbe Vorstellung [etwa des Anhaltensollens] hervorrufen.) Die Bedeutungsgleichheit ist eine Eigenschaft nicht nur räumlich, sondern auch ontisch strukturell verschiedener Zeichen. Wenn ein bestimmtes Verkehrsschild in Vielzahl mit gleicher Bedeutung an verschiedenen Orten existiert (etwa die Klasse gleichartiger Vorfahrtsschilder), so liegt zwar ebenfalls eine Bedeutungsgleichheit zwischen diesen Zeichen vor, doch besonders interessant sind hier diejenigen Zeichen, die ontisch verschiedene Strukturen haben (Schutzmann; Verkehrslicht), aber trotzdem dasselbe bedeuten.

Bedeutungsgleichheiten entstehen im Bereich der künstlichen Zeichen durch konventionelle (vereinbarte) Vervielfachungen eines vorgegebenen Zeichens oder indem man ontisch verschiedenen Seinsformen durch Konvention gleiche Bedeutungen beilegt.

Dagegen entstehen Mehrdeutigkeiten bei künstlichen Zeichen durch deren unpräzisen Gebrauch, wodurch die mehrdeutig werdenden Zeichen neue Bedeutungen ankristallisieren und dabei die alten Bedeutungen behalten. Dies gilt besonders für Wörter.

Da Mehrdeutigkeiten und die Bedeutungsgleichheiten bei ontischer Verschiedenheit eine Quelle von Mißverständnissen darstellen, sollte man sich davor schützen, indem man bei der definitorischen Einführung neuer Zeichen mit der hinlänglichen Präzision vorgeht und auch all jenen, die von diesen künstlichen Zeichen Gebrauch machen, die konventionellen Bedeutungsfestsetzungen eindeutig mitteilt. (Die natürlichen Zeichen sind im Gegensatz zu den künstlichen Zeichen meistens eindeutig und treten auch seltener als bedeutungsgleiche, aber ontisch verschiedene Zeichen auf.)

4.4. Künstliche und natürliche Zeichen

4.4.1. Das künstliche Zeichen

Zeichen lassen sich in natürliche und in künstliche Zeichen aufteilen. Künstliche Zeichen liegen dann vor, wenn der Signorezipient diesen künstlichen Zeichen nicht direkt ihre Bedeutungen entnehmen kann, womit also auch keine entsprechende Vorstellung in seinem Bewußtsein auftauchen kann. Es ist klar, daß die Bedeutungen dieser künstlichen Zeichen von den Personen, die diese Zeichen gebrauchen wollen, durch willkürliche Konventionen oder Abmachungen festgelegt werden müssen. Künstliche *nicht*sprachliche Zeichen werden zum reibungslosen Ablauf des interpersonalen Informationsverkehrs stets da eingeführt, wo natürliche Zeichen, denen man unmittelbar ihre Bedeutungen entnehmen kann, nicht mehr gefunden werden können und andererseits eine sprachliche Vermittlung zu umständlich wäre oder aus anderen Gründen nicht stattfindet. (Künstliche Zeichen sind etwa das Kopfschütteln, das Hupen, die Trauerkleidung usw. Die Beispiele zeigen hier auch, daß künstliche Zeichen oft nicht bewußt festgelegt werden, sondern durch die Generationen mitgeschleppt werden [wie das Nicken] und von den Heranwachsenden immer wieder neu nachgeahmt werden.) Allen künstlichen Zeichen ist gemeinsam, daß derjenige Signorezipient, der bei der konventionellen Festlegung der Bedeutung eines Zeichens nicht zugegen war, zum Verständnis des Zeichens sich an eine erklärende Person, den Hermeneuten (hermeneutes = Erklärer) wenden muß, der ihm die Bedeutung des Zeichens vermittelt. Während die Bedeutung eines *künstlichen* Zeichens stets durch einen Hermeneuten vermittelt werden *muß*, besteht die Möglichkeit aber nicht die Notwendigkeit, die Bedeutung eines *natürlichen* (etwa die Bedeutung des Errötens als natürlichen) Zeichens zu vermitteln.

Wenn der Signorezipient die Bedeutung eines Zeichens erfahren hat und im Gedächtnis behält, ist der Hermeneut freilich nicht mehr vonnöten. Indes wird er eventuell noch als Signotradent (Zeichenvermittler; tradere = übergeben) erforderlich sein.

4.4.2. Das natürliche Zeichen

hat die hervorragende Eigenschaft, im Bewußtsein des Signorezipienten die Vorstellung hervorzurufen, ohne daß sich der Signorezipient bei der Apperzeption des natürlichen Zeichens an einen Hermeneuten wenden muß und ohne daß er das Zeichen schon vorher apperzipiert zu haben braucht. Dies ist im wesentlichen auf zwei Relationen zurückzuführen, die zwischen dem natürlichen Zeichen und dem realen Designat der Vorstellung walten können, nämlich die determinative Relation und die Relation der Ähnlichkeit, also der Ikonisation (Nachbildung, Abbildung).

4.4.2.1. Determination

Im allgemeinen unterscheiden wir drei determinative Abhängigkeitsverhältnisse: die Kausalität (Ursache – Wirkung), die Finalität (Mittel – Zweck) und die Logizität (Grund – Folge). Davon bilden die Kausalität und die Finalität den Bereich der determinativ-natürlichen Zeichen. (Zum Beispiel ist ein Krankheitssymptom als Resultante kausaler Körpervorgänge ein natürliches Zeichen für eine bestimmte oder für mehrere Krankheiten; das heißt wenn wir ein Symptom apperzipieren, entsteht die Vorstellung bestimmter Krankheiten; das Designat der Vorstellung ist hier also Ursache des Zeichens. Dagegen liegt zum Beispiel Finalität bei einer Geste vor, die als Resultante finaler Willensakte ein natürliches Zeichen für eine bestimmte oder für mehrere Absichten darstellt.) Die Logizität spielt hier insofern eine Rolle, als die Bedeutung eines natürlichen Zeichens beziehungsweise die von dem Zeichen intendierte Vorstellung erst nach dem Schema Grund – Folge erschlossen werden muß. Die logischen Gesetze über die Grund-Folge-Beziehung zeigen indes, daß nicht jeder Schluß logisch notwendig, das heißt stringent sein muß, besonders wenn von der Folge auf den Grund geschlossen wird, weil es für eine Folge mehrere Gründe geben kann. (Zum Beispiel ist das Herzklopfen noch im allgemeinen kein hinlängliches Zeichen dafür, daß man seelisch bewegt ist, während andererseits etwa die Narbe ein hinlängliches Zeichen dafür ist, daß die Haut verletzt wurde; in beiden Fällen sind die Zeichen Wirkungen, von denen zurück auf die Ursachen geschlossen wird.)

4.4.2.2. Ikonisation

Wenn ein Zeichen in vielen charakteristischen Eigenschaften mit dem Designat der von ihm intendierten Vorstellung übereinstimmt und dieses Designat quasi abbildet, kann der Signorezipient die Bedeutung des Zeichens verstehen. (Solche Zeichen sind etwa Passbild, Gemälde, Statue usw.) Je weniger Ähnlichkeit das ikonisierende Zeichen mit dem Designat der entsprechenden Vorstellung aufweist, um so mehr wird es zu einem künstlichen Zeichen. Doch kann ein Zeichen, daß dem Designat der von ihm effizierten Vorstellung ähnlich sieht, etwas gänzlich anderes bedeuten (etwa so bei ähnlichen Passbildern). Zur Bedeutungserschließung ist es in jedem Falle nötig, daß der Signorezipient die Seinsformen, die als Vorstellungsdesignate in Frage kämen, überhaupt kennt.

4.5. Das deiktische Zeichen

Das Wort «Zeichen» läßt sich bekanntlich auf das Wort «zeigen» zurückführen und damit wird zugleich die ursprüngliche Bedeutung des Bezeichnens angedeutet, nämlich die des direkten Hindeutens (mit dem Zeigefinger) auf etwas. Es ist jedoch klar, daß ein solcher Akt des Hindeutens nur von einer Person verrichtet werden kann, die aber nicht Signorezipient ist, sondern Hermeneut, denn dadurch, daß eine Person auf einen bestimmten Gegenstand hindeutet und dabei Sätze artikuliert, erfährt die Person, die dabeisteht, etwas über diesen Gegenstand. So muß denn wohl auch ursprünglich die Sprache entstanden sein und entsteht so bei jedem Kinde von neuem, indem man angesichts bestimmter Gegenstände (allgemein Seinsformen) bestimmte Laute äußerte, die dann mit den Gegenständen verbunden wurden. So dachte man denn schließlich auch an den Gegenstand, wenn der mit ihm verbundene Laut geäußert wurde, *ohne* daß sich der Gegenstand im Bewußtseinsfeld der apperzipierenden Person befand.

Dieses Hindeuten nennen wir das deiktische (hindeutende) Zeichen, von dem wir als dem wohl einzigen Zeichen sagen können, daß es ein reales Designat hat, nämlich den bedeuteten Gegenstand, und erst darüber hinaus auch noch die Vorstellung dieses Gegenstandes intendiert. Alle anderen «sogenannten» deiktischen Zeichen sind keine deiktischen Zeichen; sie intendieren nur die Vorstellung. Das deiktische Zeichen setzt erstens ein Subjekt voraus, daß deutet, und zweitens das Vorhandensein des Bedeuteten im Bewußtseinsfeld sowohl des Hermeneuten als auch des Signorezipienten.

Es ist problematisch, ob man einen Wegweiser u.ä. Zeichen, sofern die Designate der von diesen Zeichen intendierten Vorstellungen sich im Bewußtseinsfeld des Signorezipienten befinden, als deiktische Zeichen in *übertragener* Bedeutung bezeichnen sollte, weil das Hindeuten normalerweise nur von einer Person realisiert werden kann. Ein Wegweiser weist beispielsweise nicht in gleicher Weise auf einen bestimmten Ort wie eine Person auf einen Gegenstand weist. Wenn ein Wegweiser auch in einer gedachten Richtungslinie zu einem Ort liegen mag, so ist dieses Liegen auf einer gedachten Richtungslinie doch offenbar nur eine semaphorische Eigenschaft des Wegweisers, vermöge deren wir an den Ort *denken*, nicht jedoch – ohne gedacht zu haben – direkt hingewiesen werden.

5. ÜBERSICHT ÜBER DIE ELEMENTAREN SPRACHLICHEN BEDEUTUNGSGEBILDE

5.1. Zeichen und Bedeutungsgebilde

Wie bereits erwähnt, stehen die Zeichen zu den Bedeutungsgebilden wie die Art zur Gattung, weil die Zeichen nur bewußtseinstranszendente Bedeutungsgebilde und somit empirisch apperzipierbare, materiell-existente Seinsformen darstellen, während der Begriff des Bedeutungsgebildes auch die bewußtseinsimmanenten Bedeutungsgebilde umfaßt.

Es gibt vier sprachliche Bedeutungsgebilde, von denen Wort und Satz bewußtseinstranszendente und Begriff und Aussage bewußtseinsimmanente Bedeutungsgebilde sind.

5.2. Ontischer Aspekt der sprachlichen Bedeutungsgebilde

Die bewußtseinstranszendenten Bedeutungsgebilde Wort und Satz können als materielle (lautliche oder schriftliche) Seinsformen bezeichnet werden, während die bewußtseinsimmanenten Bedeutungsgebilde Begriff und Aussage als geistige (apperzeptive) Seinsformen bezeichnet werden können. Dieser materielle beziehungsweise geistige Aspekt der Bedeutungsgebilde ist für die Semantik völlig irrelevant, weil sie zum Wesen der Bedeutung nichts beitragen können. Es ist deshalb beispielsweise für die Semantik unwichtig, ob man den Wortlaut substantialistisch oder energetisch interpretiert, denn derartige ontische Analysen würden das Wesen der Wortbedeutung nicht erklären können, weil alle Wörter (und entsprechend alle Sätze) künstliche Zeichen sind. Ebenso ist es für die Semantik gleichgültig, ob man beispielsweise den Begriff als zerebrales Engramm oder als immaterielles Gebilde oder als Kalium-Natrium-Ionenaustausch in den Neuronen beschreibt; die Bedeutung des Begriffes (und analog die Bedeutung der Aussage) würde davon nicht beeinflußt. Wenn wir also sagen, daß Wort und Satz materiell seien, während Begriff und Aussage geistig seien, so schließen wir uns nur dem allgemeinen Sprachgebrauch an, ohne damit metaphysische Verbindlichkeiten eingehen zu wollen, die für die Semantik unfruchtbar wären, weil sie zu ihrem Thema nichts beitrügen.

5.3.   Wort und Satz

Unter einem Wort verstehen wir ein materielles, und zwar entweder lautliches oder schriftliches Gebilde, das, sofern es von einem Hörer gehört oder von einem Leser gelesen wurde, in dessen Bewußtsein eine bestimmte Vorstellung, die wir Begriff nennen, stets dann hervorruft, wenn dem Hörer oder Leser die Beschaffenheit des Wortes, vermöge deren es die Vorstellung effizieren kann, bekannt ist. Analog dazu verstehen wir unter einem Satz ein materielles (lautliches oder schriftliches) Gebilde, das, sofern es apperzipiert wurde, in dem Bewußtsein des Apperzipierenden eine bestimmte Vorstellung, die wir Aussage nennen, stets dann hervorruft, wenn dem Apperzipierenden die Beschaffenheit des Satzes, vermöge der er die Vorstellung effizieren kann, bekannt ist. Das Effizieren der Vorstellung bei Wort und Satz nennen wir Intention; dabei intendiert das Wort den Begriff, den wir als Designat des Wortes bezeichnen, und der Satz intendiert die Aussage, die wir als Designat des Satzes bezeichnen. Fernerhin nennen wir die Beschaffenheiten von Wort und Satz, vermöge deren sie intendieren können, deren Bedeutungen. Im allgemeinen ist die ganze Beschaffenheit von Wort beziehungsweise Satz für die Bedeutung ausschlaggebend, so daß bereits geringfügige lautliche (oder schriftliche) Modifikationen die Bedeutung von Wort beziehungsweise Satz aufheben können (vgl. Schnecke, im Dialekt: Schnöcke) oder auch gänzlich verändern können (vgl. Schnecke, Schnucke). Der Signorezipient von Wort beziehungsweise Satz heißt Hörer oder Leser; derjenige dagegen, der das Wort oder den Satz vermittelt, heißt Sprecher oder Schreiber.

5.4.   Begriff und Aussage

sind Bewußtseinsgebilde, die von Wort und Satz intendiert werden, aber gleichwohl selbst intendieren. Unter der Intention bei Begriff und Aussage verstehen wir die Repräsentation von Seinsformen, die wir Designate nennen. Die Bedeutung von Begriff und Aussage ist die geistige Beschaffenheit derselben, vermöge deren sie bestimmte Designate intendieren können. Während Wort und Satz stets bewußtseinsimmanente Gebilde, nämlich Begriff und Aussage intendieren, können Begriff und Aussage sowohl bewußtseinsimmanente als auch (meistens) bewußtseinstranszendente Seinsformen intendieren.

44

Wenn es auch der Semantik möglich ist, ihre Disziplin zu betreiben, ohne den rein ontischen Aspekt der Bedeutungsgebilde, die ihr Thema bilden, in die Debatte zu bringen, so ist es ihr doch andererseits nicht möglich, die allgemeine ontische Natur der *Designate* der *geistigen* Bedeutungsgebilde (Begriff und Aussage) unbeachtet zu lassen, weil die ontische Unterschiedenheit der Designate von Begriff und Aussage der *einzige* Angelpunkt ist, von dem aus erstens Begriff und Aussage und zweitens Wort und Satz *unterschieden* werden können. Im Kapitel «Ontologie und Semantik» stellten wir fest, daß Begriffe Seinsheiten und Aussagen Sachverhalte intendieren. Wir können deshalb jetzt vier kurze Definitionen geben, die das Wesen der vier sprachlichen Bedeutungsgebilde in präziser Weise explizieren:

a) Das *Wort* ist dasjenige materielle, das heißt lautliche oder schriftliche, Bedeutungsgebilde, das einen oder mehrere Begriffe intendiert.

b) Der *Satz* ist dasjenige sich aus Wörtern konstituierende Bedeutungsgebilde, das eine oder mehrere Aussagen intendiert.

c) Der *Begriff* ist dasjenige mit einem oder mehreren Wörtern korrelierende geistige (apperzeptive) Bedeutungsgebilde, das eine oder mehrere Seinsheiten intendiert.

d) Die *Aussage* ist dasjenige sich aus Begriffen konstituierende Bedeutungsgebilde, das einen oder mehrere Sachverhalte intendiert.

5.5. Graphische Darstellung

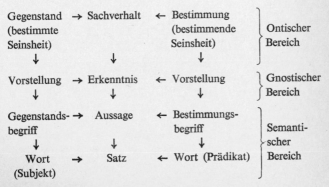

Anhand der obigen graphischen Darstellung, die für den elementaren attributiven Sachverhalt gilt, sollen nochmals die mannigfaltigen Verflochtenheiten des ontischen, des gnostischen und des semantischen Bereiches exemplifiziert werden.

5.5.1. Erläuterungen

Der Gegenstand ist die bestimmte Seinsheit, die Bestimmung ist die bestimmende Seinsheit. Gegenstand und Bestimmung bilden zusammen den Sachverhalt. Die Abbildung des Sachverhaltes im Bewußtsein ist die Erkenntnis, die sich aus der Vorstellung des Gegenstandes und der Vorstellung der Bestimmung zusammensetzt. Wird die Erkenntnis mitgeteilt, so nennen wir sie Aussage, die sich aus den inhaltlich gleichen Teilen wie die Erkenntnis konstituiert und deshalb mit ihr inhaltlich identisch ist. Dabei entspricht die Vorstellung des Gegenstandes in der Aussage dem Gegenstandsbegriff, und die Vorstellung der Bestimmung entspricht in der Aussage dem Bestimmungsbegriff. Die Aussage als die mitgeteiltwerdende Erkenntnis wird durch den Satz mitgeteilt. Der Satz setzt sich aus dem Wort (Subjekt), das den Gegenstandsbegriff, und dem Wort (Prädikat), das den entsprechenden Bestimmungsbegriff intendiert, zusammen. Der Erkenntnismitteilende bildet den Satz zu der Aussage, die er mitteilen will, und der Erkenntniserfahrende bildet die Aussage zu dem Satz, der ihm vermittelt wird. Diese Aussage intendiert dann wieder einen Sachverhalt.

5.5.1.1. Beispiel

Der Mond ist ein Gegenstand. Das Scheinen ist eine Bestimmung. Wenn der Mond durch das Scheinen bestimmt wird, liegt der Sachverhalt vor, daß der Mond scheint. Dabei wird weder der Mond allein durch das Scheinen bestimmt, noch kommt die Bestimmung des Scheinens allein dem Mond zu. Existiert jedoch der Sachverhalt, daß der Mond scheint, so besteht auch die Möglichkeit der Erkenntnis dieses Sachverhaltes, die dann realisiert wird, wenn die Vorstellung des Mondes und die Vorstellung des Scheinens im Bewußtsein miteinander verknüpft werden. Wenn erkannt worden ist, daß der Mond scheint, besteht auch die Möglichkeit der Mitteilung dieser Erkenntnis durch den Satz «Der Mond scheint». Dabei nennen wir die Erkenntnis, die durch den Satz «Der Mond scheint» mitgeteilt wird, Aussage. Die Aussage, daß der Mond scheint, setzt sich aus dem Gegenstandsbegriff «Mond» und dem Bestimmungsbegriff «Scheinen» zusammen, denen das Gegenstandsbegriffswort «Der Mond» und das Bestimmungsbegriffswort «scheint» des Satzes «Der Mond scheint» entsprechen.

Man muß also unterscheiden zwischen dem Sachverhalt, der Erkenntnis, der Aussage und dem Satz, «Der Mond scheint», die sich alle auf dem Papier als Sätze repräsentieren. Man unterscheide auch zwischen dem Wort «Begriff», das hier auf dem Papier steht, und dem Begriff «Begriff» als einem geistigen Gebilde; und ferner differenziere man zwischen dem Wort «Wort», das hier auf dem Papier steht, und dem Begriff «Wort» als einem geistigen Gebilde. Das Wort «Wort» intendiert den Begriff «Wort», und der Begriff «Wort» intendiert alle Wörter. Analog intendiert das Wort «Begriff» den Begriff «Begriff», und der Begriff «Begriff» intendiert alle Begriffe.

6.   DAS WORT

6.1.   Das Wort «Wort»

Im Hinblick auf die Pluralbildung lassen sich drei verschiedene Wörter unterscheiden. Dasjenige Wort, dessen Plural «Wörter» lautet, intendiert den Begriff derjenigen Bedeutungsgebilde, die Begriffe intendieren; allein dieses Wort «Wort» beziehungsweise der entsprechende Begriff «Wort» soll in diesem Kapitel erörtert werden. Für dieses Wort können noch eine Reihe anderer Wörter eintreten, die annähernd denselben Begriff intendieren, nämlich die Wörter «Begriffszeichen» («Ideogramm»), «Vokabel», «Ausdruck», und «Satzeinheit», doch sollen diese anderen Wörter hier zur Vermeidung von Mißverständnissen nicht verwandt werden.

Dasjenige Wort «Wort», dessen Plural «Worte» lautet, intendiert den Begriff des Ausspruchs, der Rede u. ä., wobei dieses Wort auch oft im metaphorischen Kontext verwandt wird. (Zum Beispiel «das Wort führen», «ein gutes Wort einlegen» usw.). Schließlich gibt es auch noch ein Wort «Wort», von dem kein Plural gebildet werden kann und das den Begriff der Lehre (etwa «das Wort Gottes») oder den Begriff des Versprechens (etwa «sein Wort brechen») intendiert.

6.2.   Das Wesen des Wortes

Das Wort tritt im allgemeinen in zwei verschiedenen ontischen Aspekten auf, nämlich als Wortlaut und als Wortbild. Der Wortlaut (oder das lautliche Gebilde) ist das gesprochene Wort, das Wortbild ist das geschriebene Wort. Der von den Sprechwerkzeugen hervorgebrachte Laut wird dann zu einem gesprochenem Wort, wenn er einen oder mehrere Begriffe intendiert. Um das gesprochene Wort auch ohne die Gegenwart des Sprechenden mitteilen zu können, bedient man sich des geschriebenen Wortes, das das gesprochene Wort intendiert, welches seinerseits den entsprechenden Begriff intendiert.

Bei der Mitteilung eines Wortes stehen sich zwei Personen gegenüber. Dabei nennen wir die Person, die das Wort mitteilt, Sprecher oder Schreiber, während wir die Person, die das Wort aufnimmt und versteht, Hörer oder Leser nennen. Das gesprochene Wort wird von dem Hörer akustisch apperzipiert, und das geschriebene Wort wird von dem Leser optisch apperzipiert.

Das gesprochene Wort ist nicht der einzige Träger, der Begriffe vermitteln kann, und das geschriebene Wort ist nicht das einzige Mittel, um das gesprochene Wort zu übertragen. Doch sei hier von den anderen Begriffskommunikationsmitteln (etwa Blindenschrift, Tonband usw.) abgesehen, weil diese erstens seltener verwandt werden und zweitens dieselben Funktionen wie die Wörter übernehmen. Ein Wort hat im allgemeinen sowohl semaphorische als auch rein ontische Eigenschaften. Ein gesprochenes Wort kann seine Bedeutung auch dann bewahren, wenn es mundartlich ausgesprochen wird. Ebenso kann ein geschriebenes Wort auch noch dann dieselbe Bedeutung haben, wenn es in verschiedenen Schriftgraden oder Schriftarten gesetzt wurde. Solche Modifikationen, die die Bedeutung eines Wortes nicht verändern, nennen wir seine rein ontischen Eigenschaften. Dagegen kann im allgemeinen die Laut- oder Buchstabenfolge eines Wortes sowie die Betonung u.ä. nicht verändert werden, ohne daß das Wort seine ursprüngliche Bedeutung verliert, weshalb wir diese Eigenschaften, die bei einem Wort nicht modifiziert werden können, als semaphorische Eigenschaften oder kurz als die Bedeutung eines Wortes bezeichnen. Die Bedeutung eines Wortes ist also diejenige Beschaffenheit desselben, vermöge deren im Bewußtsein des Hörers oder Lesers ein Begriff oder mehrere Begriffe effiziert werden, sofern dem Hörer oder Leser die Bedeutung des Wortes überhaupt bekannt ist. Wenn nun ein Wort einen Begriff im Bewußtsein des Apperzipierenden effiziert, so sprechen wir von der Intention des Wortes und nennen den effizierten Begriff das Designat des entsprechenden Wortes.

6.3.   Gesprochenes und geschriebenes Wort

Wenn das geschriebene Wort auch in den Anfängen des Schreibenlernens den entsprechenden Begriff nur über das gesprochene Wort hinweg intendiert, wie es sich noch in dem inneren Sprechen beim lautlosen Lesen eines Textes dokumentiert, so nimmt das geschriebene Wort doch mit der fortschreitenden Übung die Funktion auf sich, den Begriff direkt zu intendieren. Ist dies erreicht, so sind die Intentionsweisen des gesprochenen und geschriebenen Wortes gleichwertig. Es kann weiterhin sogar sein, daß ein geschriebenes Wort den

Begriff direkt intendieren muß, weil es überhaupt kein korrelierendes (mit ihm in Wechselbeziehung stehendes) gesprochenes Wort gibt, wie dies bei vielen mathematischen und logistischen Symbolen der Fall ist, obwohl derartige Symbole meist nicht mehr als Wörter im eigentlichen Sinne bezeichnet werden können. Daß umgekehrt viele gesprochenen Wörter keine korrelierenden geschriebenen Wörter haben, ist schon durch die größere Priorität der gesprochenen Wörter evident; viele Menschen kennen die Schreibweise vieler umgangssprachlicher Wörter nicht oder haben sie noch nicht zu schreiben gewagt (etwa ungeschliffene oder vulgäre Wörter), obwohl sich die Sprachwissenschaftler um deren schriftliche Fixierung bemühen.

Für unsere semantischen Analysen, die nur die wissenschaftliche Sprache betreffen, können wir das geschriebene Wort und das korrelierende gesprochene Wort unbeschadet mit dem Begriff «Wort» als gleichwertig zusammenfassen, weil in der wissenschaftlichen Sprache, wenn man von Ausnahmen absieht, sowohl jedes geschriebene Wort ein korrelierendes gesprochenes Wort hat als auch umgekehrt jedes gesprochene Wort ein korrelierendes geschriebenes Wort hat.

6.3.1.   Inkonsequente Schreibung und Aussprache

Wenn ein gesprochenes Wort verschiedene mit ihm korrelierende geschriebene Wörter hat, so sprechen wir von inkonsequenter Schreibweise, die die Orthographie zu beseitigen sucht. Wenn andererseits ein geschriebenes Wort verschiedene mit ihm korrelierende geschriebene Wörter hat, so sprechen wir von inkonsequenter Aussprache, die die Phonologie beschreibt. Nur wenn die entsprechenden geschriebenen und gesprochenen Wörter dieselben Begriffe intendieren, bleibt die semantische Gleichwertigkeit dieser Wörter erhalten. Die semantisch interessante Ungleichwertigkeit der Wortintentionen ist dann gegeben, wenn ein gesprochenes Wort verschiedene korrelierende geschriebene Wörter hat (etwa «Seite» und «Saite»), wobei das gesprochene Wort mehrdeutig ist und die geschriebenen Wörter eindeutig sind; und umgekehrt ist eine intentionale Ungleichwertigkeit auch dann gegeben, wenn ein geschriebenes Wort verschiedene korrelierende gesprochene Wörter hat (etwa «Druck-erzeugnis», «Drucker-zeugnis»), wobei das geschriebene Wort mehrdeutig ist (hier wurde es eindeutig gemacht), während die gesprochenen Wörter eindeutig sind. (Im Englischen sind diese Fälle häufiger als im Deutschen; etwa «tear», je nach Aussprache: Riß oder Träne).

6.4.   Wortstruktur

Die gesprochenen Wörter setzen sich aus einzelnen Lauten (Voka-
len, Konsonanten) zusammen, denen die Buchstaben oder Buch-
stabengruppen der geschriebenen Wörter entsprechen. Da jedoch die
Wörter, die fast alle künstliche Zeichen sind, nicht systematisch und
planmäßig konstruiert wurden (wie dies etwa für die chemischen
Symbole zutrifft), ist es im allgemeinen unmöglich, einem bisher
unbekannten Wort direkt seine Bedeutung zu entnehmen, denn die
Wortstruktur steht zu der Wortbedeutung in keiner, oder wenn,
dann in einer sehr schwankenden Korrelation, die allerdings nur
innerhalb eines jeweiligen Sprachsystems möglich ist.

Da unsere semantische Abhandlung jedoch nur Gesetze darstellt,
die für alle Sprachen Geltung haben, können wir auf die möglichen
besonderen Bezogenheiten zwischen den Wortstrukturen und Wortbedeutungen, die sich in jeder Sprache in mehr oder weniger un-
regelmäßiger Weise nachweisen lassen, hier nicht näher eingehen.
Dagegen wäre in einer umfangreicheren als der vorliegenden Abhandlung im einzelnen zu erörtern, auf welche Weise bei der Konstruktion einer künstlichen Sprache die genannten Bezogenheiten
eindeutig hergestellt werden könnten.

6.5.   Das Wort als künstliches Zeichen

Fast alle Wörter sind künstliche Zeichen, so daß von den Wörtern
auf die entsprechenden Begriffe ohne Kenntnis der jeweiligen intentionalen Konventionen nicht geschlossen werden kann. Die einzige Ausnahme bildet hier die Lautnachahmung, denn das lautnach-
ahmende Wort steht mit dem von dem entsprechenden Begriff intendierten Laut in einer Ähnlichkeitsrelation. Doch auch die lautnach-
ahmenden Wörter sind nur beschränkt natürliche Zeichen, was mit
der Adäquatheit der Nachahmung zusammenhängt. (So ahmt etwa
der Engländer den Hahn gänzlich anders nach als der Deutsche; vgl.
cock-a-doodle-doo = kikeriki.) Und auch wenn ein Wort einem anderen Laut ähnlich ist, intendiert dieses Wort noch keineswegs den
Begriff des anderen Lautes, sonst müßten die Begriffe alle diejenigen
Laute intendieren, die von den entsprechenden Begriffswörtern repräsentiert werden.

6.6. Wortbildung

Wir können zwei Arten von Wortbildungen unterscheiden: die absolute und die relative Wortbildung. Die absolute Wortbildung liegt dann vor, wenn ein bestimmter Laut unabhängig von anderen Lauten einem bestimmten Begriff zugeordnet wird. Dabei unterscheiden wir die bewußte und die unbewußte absolute Wortbildung. Die unbewußte absolute Wortbildung spielte bei der Sprachentstehung der Urmenschen eine Rolle, insofern man damals angesichts bestimmter Gegenstände bestimmte Laute äußerte, welche sodann mit der Vorstellung dieser Gegenstände in Beziehung gebracht wurden, so daß der eine durch Äußerung von Lauten, die nunmehr zum Wort wurden, bei dem anderen den Begriff des betreffenden Gegenstandes hervorrief. Bei einem Kinde allerdings, das bei sprechenden Mitmenschen aufwächst, liegt keine absolute Wortbildung vor, weil das Kind die Wörter nicht selbst bildet, sondern nachahmt.

Die bewußte absolute Wortbildung ist dann gegeben, wenn man willkürlich einen bestimmten Laut ohne Abhängigkeit zu anderen Lauten zu einem Wort macht, indem man ihm eine bestimmte Bedeutung gibt. Diese bewußte absolute Wortbildung nennt man auch Wortschöpfung. Es ist fast unmöglich, solche künstlich konstruierten Wörter im Wörterbuch einer beliebigen Sprache zu finden, was wohl damit zusammenhängt, daß man Wortschöpfungen für kindisch hält.

So gibt es denn im Rahmen der Wissenschaften fast nur relative Wortbildungen, bei denen sich das neu gebildete Wort strukturmäßig an andere Wörter anlehnt. Dabei können neue Wörter durch Zusammensetzung (Komposition) bereits bekannter (autosemantischer) Wörter und durch lautliche Modifikationen (etwa Ablaut) beziehungsweise durch Erweiterung alter Wörter durch synsemantische Bildungssilben (Suffixe, Präfixe) entstehen.

In der Wissenschaft übernimmt man überdies gern Wörter ausgestorbener Sprachen (Griechisch, Latein usw.), die man strukturell leicht modifiziert, um sie der eigenen Sprache anzupassen, und denen man nunmehr feste Bedeutungen zulegt, die aber mit den Bedeutungen der fremdsprachlichen Wörter bedeutungsverwandt sind.

Neue Wörter werden gebildet, um neue Vorstellungen oder Begriffe zu vermitteln oder um bekannte Begriffe, die bisher nur durch umschreibende Ausdrücke intendiert wurden, kurz und bündig zu kennzeichnen. Damit nun aber nicht nur der Wortbildner, sondern

52

auch alle anderen Menschen von dem neuen Wort Gebrauch machen können, erklärt der Wortbildner den anderen das neue
Wort mit seiner Bedeutung. Dies geschieht durch die sogenannte
synthetische Wortdefinition, die weiter unten zu besprechen sein
wird.

6.7.   Mehrdeutigkeit und Semasiologie

Die Bedeutung eines Wortes haben wir als diejenige Beschaffenheit
desselben definiert, vermöge deren es Begriffe intendiert. Wenn dabei ein Wort nur einen einzigen Begriff indendiert, so hat das Wort
nur eine Bedeutung und ist mithin eindeutig. Wenn dagegen ein
Wort mehrere Begriffe intendiert, so hat das Wort mehrere Bedeutungen und ist mithin mehrdeutig. (Zum Beispiel ist das Wort «Tanne»
eindeutig, weil in unserem Bewußtsein nur ein einziger Begriff auf-
taucht, wenn wir dieses Wort apperzipieren. Dagegen ist etwa das
Wort «Schloß» mehrdeutig, weil in unserem Bewußtsein mehrere
Begriffe auftauchen, wenn wir dieses Wort apperzipieren, nämlich
die Begriffe «Türschloß», «Palast» usw.) Der Ein- und Mehrdeutigkeit steht die Undeutlichkeit von Wörtern gegenüber, die dann gegeben ist, wenn Wörter nicht adäquat gesprochen oder geschrieben
werden (unartikulierte Aussprache, unleserliche Schrift usw.). Ein
undeutliches Wort hat keine Bedeutung und intendiert demzufolge
keine Begriffe. Dies gilt allerdings nur für den Leser oder Hörer;
denn derjenige, der ein undeutliches Wort spricht oder schreibt, weiß
sehr wohl, was er damit meint, womit das undeutliche Wort für den
Sprecher oder Schreiber eine Bedeutung hat.

Die Semasiologie oder Wortbedeutungslehre ist nunmehr diejenige
idiographische Wissenschaft, die nach den von der allgemeinen oder
nomothetischen Semantik entwickelten Gesetzen und Methoden untersucht, welche einzelnen Bedeutungen die Wörter der einzelnen
Sprachen haben. Dabei untersucht die Semasiologie nicht nur,
welche einzelnen Bedeutungen bestimmte Wörter zu bestimmten
Epochen hatten, sondern sie kann auch erforschen, ob sich die Bedeutungen bestimmter Wörter im Laufe der Zeit wandelten. Es gibt
mithin eine am gegenwärtigen Sprachzustand orientierte und eine
historisch orientierte Semasiologie, wobei sich die historisch orientierte Semasiologie der Etymologie nähert, welche die ursprünglichen
Bedeutungen bestimmter Wörter zu erfahren sucht. (So kann man

etwa bei dem Wort «bauen» feststellen, daß es erstens – etymologisch betrachtet – mit der Sanskritwurzel «bhu» verwandt ist, die ursprünglich «sein» bedeutete, und zweitens kann man historisch feststellen, daß dieses Wort auch einmal während einer bestimmten Sprachepoche die Bedeutung «schwellen» annahm, und drittens kann man feststellen, daß das Wort «bauen» heutzutage «planmäßig errichten», «anpflanzen» u. ä. bedeutet.) Es ist evident, daß die Etymologie sowie die historisch orientierte Semasiologie mit großen gnoseologischen Schwierigkeiten zu kämpfen hat und deshalb auch sehr oft recht problematische Ergebnisse liefert, weil die historischen Quellen (alte Schriften u. ä.) meist sehr lückenhaft und undurchsichtig sind, weshalb die ursprünglichen Bedeutungen von Wörtern meistens nur vermutet werden können.

Eine Bedeutungsveränderung eines Wortes ist dann gegeben, wenn es unter Beibehaltung seiner Lautstruktur oder bei nur geringfügiger Modifikation derselben eine neue Bedeutung annimmt, während es seine alten Bedeutungen entweder behält oder verliert. Bei Wortbedeutungsveränderungen können wir Bedeutungserweiterungen und Bedeutungsverengungen unterscheiden. Eine Wortbedeutungserweiterung liegt dann vor, wenn der von dem semantisch erweiterten Wort nunmehr intendierte Begriff mehr Designate als zuvor hat, während bei der Wortbedeutungsverengung der entsprechende Begriff weniger Designate als zuvor hat. Daneben gibt es die Bedeutungsverschiebung, bei der sich die Umfänge der entsprechenden Begriffe überschneiden. Ferner liegen Bedeutungsveränderungen bei sogenannten Bedeutungsverbesserungen und Bedeutungsverschlechterungen von Wörtern vor, wobei axiologische (wertlehrenmäßige) Gesichtspunkte berücksichtigt werden, die allerdings von dem jeweiligen Wertsystem abhängig zu machen sind. Eine Wortbedeutungsverbesserung liegt nämlich dann vor, wenn der von dem semantisch verbesserten Wort nunmehr intendierte Begriff solche Designate hat, welche wertmäßig höher stehen als die zuvor intendierten Designate; wohingegen bei der Wortbedeutungsverschlechterung dementsprechend wertmäßig niedriger stehende Designate von dem nunmehrigen Begriff intendiert werden (etwa «Dirne»: früher «Mädchen», heute «Prostituierte»). Übrigens gibt es auch willkürlich konstruierte Bedeutungsverbesserungen, die dann vorliegen, wenn bestimmte Wörter, welche Begriffe intendieren, deren Designate auf einer wertmäßig niedrigen Stufe stehen, durch solche Wörter substituiert werden, die Begriffe intendieren, welche zwar dieselben Designate intendieren, aber nicht die wertmäßig niedrigen Eigenschaften derselben repräsentieren. Man spricht hier auch von Bedeutungsverhüllung oder von Euphemismus. (Zum Beispiel ist das Wort «vollschlank» ein Euphemismus für «dick».)

Es gibt noch zwei weitere wichtige Wortbedeutungsveränderungen, nämlich die Veränderung einer eigentlichen Wortbedeutung zur uneigentlichen Wortbedeutung und ferner der Bedeutungswandel eines (isoliert betrachteten) Wortes in der Umgebung anderer Wörter.

6.7.1. Metapher

Ein Wort kann nicht nur eine wörtliche (eigentliche), sondern auch eine übertragene (uneigentliche) Bedeutung haben, wobei wir ein Wort im Hinblick auf seine übertragene Bedeutung Metapher nennen. (Zum Beispiel hat das Wort «heimgehen» eine wörtliche Bedeutung, sofern es den Begriff «nach Hause gehen» intendiert, und es hat eine übertragene, metaphorische Bedeutung (meta-pherein = über-tragen), sofern es den Begriff «sterben» intendiert.) Die Bedeutung eines Wortes bezeichnen wir dann als metaphorisch, wenn der von dem Wort in seiner metaphorischen Bedeutung intendierte Begriff mit dem von dem Wort in seiner eigentlichen Bedeutung intendierten Begriff dergestalt sinnverwandt ist, daß der mit dem Wort in seiner metaphorischen Bedeutung korrelierende Begriff eine Klasse von Designaten so repräsentiert, als wären sie die Designate des von dem Wort in seiner eigentlichen Bedeutung intendierten Begriffes. Der mit der Metapher korrelierende Begriff sagt deshalb von seinen Designaten stets zuviel aus und ist deshalb strenggenommen ein subjektiver Begriff, auf den eigentlich keine Designate passen. (Wenn etwa ein tobender Mensch metaphorisch als ein wildes Tier bezeichnet wird, so will der mit der Metapher «wildes Tier» korrelierende Begriff zuviel aussagen, denn von einem Menschen kann zwar gesagt werden, daß er wild sei, aber nicht, daß er ein Tier sei im eigentlichen Sinne des Wortes.) Eine Übergangsstufe zur Metapher bildet die Analogie, die dann gegeben ist, wenn man sagt, daß eine Eigenschaft, die einer bestimmten Klasse von Designaten zukommt, auch ebenfalls, wenn auch möglicherweise in modifizierter Art, einer anderen Klasse von Designaten zukommt. Die Analogien intendieren im Gegensatz zu den Metaphern meist objektive Begriffe. (So ist es etwa im Gegensatz zu der zuvor genannten Metapher möglich zu sagen, daß ein Mensch so wild *wie* ein Tier sei.)

Stets dann, wenn man Seinsheiten beschreiben soll, denen Eigenschaften zukommen, die für einen selbst neuartig sind, ist man geneigt, Metaphern zu bilden, weil der bisherige Wortschatz nicht mehr ausreicht und weil man komplizierte Umschreibungen mit Hilfe der Wörter des bisherigen Wortschatzes scheut. Doch sollte man zumindest in einer wissenschaftlichen Darstellung Metaphern so weit wie möglich vermeiden, und bei zu umständlicher Beschreibung lieber neue Wörter bilden, denn Metaphern führen wegen der Vagheit und des oftmals subjektiven Charakters der korrelierenden Begriffe leicht zu Mißverständnissen. Doch gibt es innerhalb der Klasse der Metaphern auch Unterschiede, was den Grad des Übertragenseins ihrer Bedeutungen anlangt, so daß man Metaphern, welche nur wenig metaphorisch sind (farblose Metaphern), aus wortökonomischen Gründen bedenkenlos auch in wissenschaftlichen Abhandlungen verwenden kann, während alle zu bildlichen Metaphern allein auf den Bereich der Dichtkunst einzuschränken sind. Die Begriffe nämlich, welche mit den dichterisch bildhaften Metaphern korrelieren, tragen nicht nur reichlich Anschauungsmomente in sich, sondern sind auch, gerade weil sie Gefühle wecken wollen, emotional belastet, insofern das emotionale Moment das rationale überdeckt, wodurch diese Metaphern für die Wissenschaft, der es allein um die Wahrheit geht, völlig unbrauchbar sind.

Es sei darauf hingewiesen, daß die eigentliche Bedeutung eines Wortes zwar rein zeitlich gesehen stets die ursprünglichere Bedeutung ist im Verhältnis zur übertragenen Bedeutung, doch läßt sich bei vielen Wörtern die ursprüngliche Bedeutung nicht mehr klar feststellen, womit die übertragene Bedeutung nunmehr zur eigentlichen Bedeutung solcher Wörter wird. (Zum Beispiel wird das Wort «verstehen» heute nur noch im Sinne des geistigen Begreifens verwandt, während es unklar ist, wie die ursprüngliche Bedeutung dieses Wortes, die mit «stehen» sinnverwandt gewesen war, nun eigentlich war.)

6.7.2. Kontext

Es gibt ontische und semantische Kontexte. Der ontische Kontext ist die sprachliche, besonders alltagssprachliche Situation, in die die Äußerung eines Wortes eingebettet ist. Selbst wenn im Alltag Wörter geäußert werden, die an sich zur Mitteilung bestimmter Vorstellungen unzureichend sind, läßt sich aus dem situationsbedingten sprachlichen Kontext entnehmen, was mit solchen Wörtern gemeint ist. Dagegen liegt ein semantischer Kontext vor, wenn ein Wort in der Umgebung anderer Wörter bedeutungsmäßig beeinflußt wird (con-textum = das Um-wobene, der Zusammenhang).

Dabei kann der semantische Kontext das kontextuell bestimmte Wort bedeutungsmäßig sowohl leicht abwandeln als auch gänzlich verändern. (Zum Beispiel wird das Wort «Bescherung» im Kontext «Am 24. Dezember haben wir weihnachtliche Bescherung» dergestalt abgeändert, daß der entsprechende Begriff jetzt nicht alle Bescherungen, sondern nur die weihnachtliche Bescherung intendiert. Dagegen erhält das Wort «Bescherung» im Kontext «Das ist ja eine schöne Bescherung» eine völlig neue Bedeutung, denn es intendiert nun den Begriff einer unangenehmen Überraschung.)

Es gibt Wörter, die man als semantisch unselbständig (synkategorematisch oder synsemantisch, im Gegensatz zu autosemantisch) bezeichnen kann, weil sie nur in einem Kontext eine vollständige (sinnvolle) Bedeutung erhalten. Zu diesen synkategorematischen Wörtern zählen besonders die Präpositionen und Konjunktionen. (So erhält das Wort «in» beispielsweise erst im Kontext (etwa «in der Schule sein») seine volle Bedeutung, wobei es allerdings auch isoliert betrachtet werden kann.) Weiterhin sind freilich alle flektierten (konjugierten oder deklinierten) Wörter synkategorematischer Natur. (So erhält etwa das Wort «verlörest» erst im rechten Kontext (etwa «Du verlörest dies, wenn ...») seine volle Bedeutung.)

Wenn ein Wort (etwa «Haus») von einem Kontext umgeben ist (etwa «das schöne Haus,») so sprechen wir von einem Ausdruck, der ebenfalls wie das einfache Wort Begriffe intendiert. Ausdrücke stellen mithin Wortgruppen dar und können als Wörter komplexerer Struktur bezeichnet werden. Bisweilen ist es jedoch auch schon bei einem zusammenhängenden Wort (das aus einer kontinuierlichen Buchstabenfolge besteht) problematisch, ob es noch selbst aus weiteren Wörtern besteht oder nicht, wodurch der Begriff des Wortes fließend wird. Wir wollen jedoch hier festlegen, daß ein Wort stets dann *ein* einziges Wort ist, wenn es einen oder mehrere Begriffe intendiert, selbst wenn Teile des Wortes (etwa «H-und», «M-aus», «in-sofern» usw.) wiederum die Funktion auf sich nehmen können, andere Begriffe zu intendieren.

6.8. Bedeutungsgleichheit und Onomasiologie

Wenn strukturell verschiedene Wörter denselben Begriff intendieren, bezeichnen wir die Beziehung zwischen diesen Wörtern als Wortbedeutungsgleichheit. (Etwa sind die Wörter «Samstag» und «Sonnabend» bedeutungsgleich, denn sie intendieren denselben Begriff.) Hier müssen wir eine Unterscheidung treffen zwischen personalen und überpersonalen Wörtern. Als personal bezeichnen wir ein solches Wort, das von einer bestimmten Person zu einem bestimmten Zeitpunkt ausgesprochen (oder geschrieben) wurde. Dabei können strukturell gleiche, aber ontisch (das heißt örtlich und zeitlich) verschiedene Wörter von verschiedenen Personen oder von einer Person zu verschiedenen Zeiten ausgesprochen werden. Doch haben diese strukturell gleichen Wörter alle dieselben Bedeutungen, sie intendieren also dieselben Begriffe (sofern die *über*personalen Begriffe in Betracht gezogen werden; vgl. 7.4.). Auf solche personalen Wörter nimmt man selten Rekurs. (Man tut dies beispielsweise, wenn man bei einer Verleumdung betont, daß sie von einer bestimmten Person zu einem bestimmten Zeitpunkt verlautet wurde.) Im allgemeinen jedoch abstrahiert man von der personalen Relativiertheit der Wörter, die zweifelsohne faktisch stets gegeben ist, und bezeichnet Wörter, die nur strukturell gleich sind, als überhaupt gleich, und spricht dementsprechend von überpersonalen Wörtern.

Die eigentliche Bedeutungsgleichheit überpersonaler Wörter von verschiedener Struktur kommt selten vor. Dagegen begegnen wir sehr oft Bedeutungsverwandtheiten von Wörtern, die dann vorliegen, wenn verschiedene Wörter sinnverwandte Begriffe intendieren. Wir müssen hier unterscheiden zwischen bedeutungsverwandten (sinnverwandten, synonymen) Wörtern und bedeutungsverwandten oder sinnverwandten Begriffen (vgl. 7.6.3.). Sinnverwandte Wörter intendieren sinnverwandte Begriffe und sinnverwandte Begriffe intendieren ähnliche Seinsheiten. (Wenn wir etwa das Wort «Tulpe» lesen, taucht in unserem Bewußtsein ein ähnlicher Begriff auf, wie wenn wir das Wort «Nelke» lesen; deshalb sind die Wörter «Tulpe» und «Nelke» sinnverwandt.)

Die Aufgabe der Onomasiologie besteht nun darin, bedeutungsgleiche und sinnverwandte Wörter zu sammeln und systematisch zu ordnen. Sie befaßt sich deshalb wesentlich mit der Zusammenstellung von Wortfeldern, wobei wir unter einem Wortfeld eine systematische Zusammenstellung von bedeutungsgleichen und sinnverwandten Wörtern verstehen. Dabei intendieren die Wörter, die in einem Wortfeld enthalten sind, einerseits Art- und Gattungsbegriffe und andererseits solche Begriffe, deren Designate zueinander stehen wie der Komplex zu seinen Elementen. Das Wortfeld gilt demnach stets einem übergeordneten Begriff (etwa dem Begriff «Baum»), zu dessen Artbegriffen die einzelnen Wörter aufgezählt werden (etwa die Wörter «Fichte», «Eiche» usw.), ferner die Wörter der einzelnen Begriffe, welche Eigenschaften oder Teile der Designate des übergeordneten Begriffes intendieren (etwa die Wörter «Ast», «Wurzel» usw.). Überdies können die einzelnen Wörter des betreffenden Wortfeldes nun noch nach den einzelnen Wortarten, wie sie in den einzelnen Sprachen vorkommen, klassifiziert werden (etwa nach Substantiven, Adjektiven; Verben, Adverbien usw.).

Dem Wortfeld steht das entsprechende Begriffsfeld gegenüber. Da nun jede wissenschaftliche Abhandlung als eine zusammenhängende Darstellung und Explikation eines Begriffsfeldes aufgefaßt werden kann, ist es außerordentlich vorteilhaft, wenn das entsprechende Wortfeld zusammengestellt wird, bevor man mit der Abhandlung beginnt, weil auf diese Weise eine sprachadäquate Darstellung des Themas gewährleistet wird. Die Wortfelder dazu finden sich in den entsprechenden onomasiologischen Wörterbüchern, wobei man gleichzeitig von einem semasiologischen Wörterbuch Gebrauch machen sollte, weil einem doch meist nicht alle Bedeutungen der einzelnen Wörter geläufig sind.

6.9.   Das Fremdwort

Wenn man bedenkt, daß die größeren Kultursprachen meist weit über 200000 Wörter umfassen, leuchtet ein, daß der an einer Kultursprache Partizipierende immer nur einen Teil des ganzen Wortschatzes beherrscht, während ihm alle übrigen Wörter fremd sind. Doch handelt es sich hier keineswegs nur um Fremdwörter, von denen in der deutschen Sprache nur höchstens 50000 existieren, sondern größtenteils um rein muttersprachliche Wörter, die einem deshalb nicht bekannt sind, weil sie Begriffen von Gegenständen entlegener Wissensgebiete zugeordnet sind.

Weil sich die einzelnen Sprachen erst nach und nach entwickelt haben, können wir zwischen Lehnwörtern und Fremdwörtern unterscheiden. Dabei handelt es sich bei den Lehnwörtern um solche Wörter, die von der Muttersprache schon sehr früh aus anderen Sprachen entlehnt wurden, so daß sie sich in ihren Formstrukturen von den Wörtern der Muttersprache kaum unterscheiden (z.B. «Straße», «Wein», «Kohl» usw.) und deshalb auch nicht als Fremdkörper der Sprache angesehen werden. Dagegen handelt es sich bei den eigentlichen Fremdwörtern um solche Wörter, die meist zu einer späten sprachlichen Entwicklungsstufe von der Muttersprache aus fremden Sprachen entlehnt wurden und deshalb Formstrukturen aufweisen, die zu den Wörtern der Muttersprache (Erbwörtern, Lehnwörtern) in starkem Kontrast stehen. Dabei erstrecken sich die Unterschiede in den Formstrukturen auf die Aussprache und auf die Schreibweise. Im einzelnen lassen sich reine Fremdwörter, die ihre fremde Formstruktur gänzlich beibehalten haben (etwa biologische Termini: Triticum, Simiae usw.), von solchen Fremdwörtern unterscheiden, die sich aus Flexionsgründen den muttersprachlichen Wörtern angepaßt haben und somit erst zu funktionsfähigen Satzgliedern geworden sind (etwa Relativität anstatt relativitas usw.).

Es ist eine evidente Tatsache, daß sich die Bedeutungen von Fremdwörtern schlechter merken lassen als die Bedeutungen der muttersprachlichen Wörter, weil sich die unbekannten und deshalb ungewohnten Formstrukturen schlechter handhaben lassen und den Sprachrhythmus anfänglich stark hemmen. Doch beweisen vielgebrauchte umgangssprachliche Fremdwörter («Radio», «Auto»), daß man mit Fremdwörtern ebenso vertraut werden kann wie mit muttersprachlichen Wörtern.

Es gibt im wesentlichen vier Gründe, derentwegen Fremdwörter benutzt werden: Erstens werden Fremdwörter verwandt, wenn entsprechende muttersprachliche Wörter fehlen und Umschreibungen zu umständlich erscheinen, wobei die Umständlichkeit der Umschreibung eines Begriffes auch einen Grund für die Fremdwortschöpfung abgibt. Zweitens werden Fremdwörter benutzt, wenn sie wissenschaftshistorisch bedeutsam sind und dabei meist mit bestimmten Persönlichkeiten verknüpft sind (etwa «Darwinismus»). Drittens werden Fremdwörter, zu denen es entsprechende muttersprachliche Wörter gibt, aus stilistischen Gründen angewandt, um Wortwiederholungen zu vermeiden und damit der Sprache eine besondere Eleganz zu verleihen. Viertens schließlich werden auch Fremdwörter deshalb benutzt – und dies ist ein sehr häufiger Grund –, weil der geltungsbedürftige Sprecher durch die Anwendung von Fremdwörtern dem Hörer gegenüber seine geistige Überlegenheit bezeugen möchte, oder einfach, weil er auch «dabei sein» will. (Es sei hierbei angemerkt, daß ein reicher Fremdwortgebrauch noch nicht unbedingt eine reiche Sachkenntnis impliziert, denn Wörter können verlautet werden, ohne daß der Sprecher den Sinn kennt).

Nur die ersten zwei Gründe sind wissenschaftliche Gründe und deshalb akzeptierbar. Der dritte Grund dagegen ist nur dann akzeptabel, wenn man sich an einen gebildeten Hörer- oder Leserkreis wendet, wobei man ihn nicht überschätzen darf und etwa bei einer wissenschaftlichen Einführung nur spärlich Fremdwörter gebrauchen sollte. Der vierte Grund liegt gänzlich außerhalb der Wissenschaft und ließe sich nur axiologisch diskutieren.

7.   DER BEGRIFF

7.1.   Das Wort «Begriff»

kommt von dem Verb «be-greifen», das seinerseits mit der sanskritischen Verbalwurzel «grah» (oder älter «grabh») verglichen werden kann, insofern beide Verben sowohl den Begriff der physischen Berührung (etwa «Er begreift (grinati) den Gegenstand») als auch den Begriff des geistigen Erfassens (etwa «Er begreift seine Verhaltensweise») intendieren.

Auch im allgemeinen Sprachgebrauch intendiert das Wort «Begriff» zumeist den von uns exakt definierten Begriff «Begriff» (also den Begriff desjenigen Bedeutungsgebildes, das Seinsheiten intendiert). Daneben gibt es noch eine Reihe anderer Wörter, die ebenfalls den von uns definierten Begriff «Begriff» intendieren können, nämlich die Wörter «Idee», «Konzept» (Konzeption), «Gedanke», «Terminus» (technicus) u. a., doch sollen diese anderen Wörter hier um des leichteren Verständnisses willen vermieden werden.

Wenn das Wort «Begriff» isoliert betrachtet auch in der Umgangssprache noch recht eindeutig ist, kann es dagegen, wenn es von Kontexten (also von bestimmten Wortgruppen) umgeben ist, verschiedene Bedeutungen haben. (Zum Beispiel «im Begriffe sein zu tun» (gerade anfangen zu tun), «schwer von Begriff sein» (nur langsam verstehen), «die Begriffe übersteigen» (unerkennbar, undenkbar sein), «jemandem ein Begriff sein» (jemandem bekannt sein), «sich einen Begriff machen von» (sich die Bestimmungen einer Seinsform vergegenwärtigen).

Wichtig ist noch die Unterscheidung zwischen «begreiflich» und «begrifflich». Das Wort «begreiflich» entspricht dem Wort «verständlich», das Wort «begrifflich» (oder begriffsmäßig) entspricht dem Ausdruck «zum Begriff gehörig». (Das Wort «begrifflich» im Sinne von «gedanklich», «abstrakt» wollen wir hier nicht verwenden).

7.2.   Das Wesen des Begriffs

7.2.1.   Definitionsschwierigkeiten

Es ist eine evidente Tatsache, daß der Begriff «Begriff» (im Sinne desjenigen Bedeutungsgebildes, das Seinsheiten intendiert) als der am schwersten zu definierende Begriff überhaupt bezeichnet werden kann, weil er alle fundamentalen und deshalb sehr schwer erfaßbaren Bedeutungsstrukturen aller Begriffe, die seine Designate sind, beinhalten muß.

Aus methodologischen Gründen ist es zweckmäßig, nicht so sehr den Begriff «Begriff» als vielmehr die Begriffe als solche zum Gegenstand der Untersuchung zu machen, weil sich der Begriff «Begriff» von allen anderen Begriffen nicht unwesentlich abhebt und deshalb eine besondere Analyse verlangt. Der Begriff «Begriff» unterscheidet sich nämlich von allen anderen Begriffen dadurch, daß er als einziger Begriff selbst Begriffe, und zwar alle Begriffe und mithin auch sich selbst, als Designate hat, wobei der Begriff «Begriff» alle diejenigen Bestimmungen, die allen anderen Begriffen gleichmäßig zukommen, als seinen Begriffsinhalt repräsentiert. Eine weitere Besonderheit des Begriffes «Begriff» ist seine ausschließliche Intention bewußtseinsimmanenter Designate, während faßt alle anderen Begriffe bewußtseinstranszendente Designate haben. Die wenigen Begriffe, die ebenfalls bewußtseinsimmanente Designate haben, intendieren Teile oder Inhalte des Bewußtseins oder das Bewußtsein selbst, also die Begriffe «Erkenntnis», «Vorstellung», «Bewußtsein» etc. Dabei umfaßt der Begriff «Begriff» das Gemeinsame beider Begriffsgruppen, wodurch er noch schwerer zu erfassen ist.

7.2.2. Begriff als mitgeteilte Vorstellung

Begriffe sind Bewußtseinsgebilde, die in ihrer Stellung zwischen Erkennen und Mitteilen ursprünglich aus denjenigen Vorstellungen hervorgehen, die als Teil einer Erkenntnis entweder Gegenstände oder Bestimmungen repräsentieren, womit die Begriffe also auch ursprünglich mit den Vorstellungen inhaltlich identisch sind. Werden nun solchen Vorstellungen Wörter zugeordnet, so werden aus diesen Vorstellungen Begriffe, die nun ihrerseits nicht nur Bewußtseinsgebilde, sondern auch überdies Bedeutungsgebilde sind, weil sie erstens mit Wörtern korrelieren (in Beziehung stehen) und zweitens nunmehr unabhängig von den Vorstellungen, aus denen sie hervorgingen, Seinsheiten als Designate intendieren. Durch gedankliche Umgestaltung können Begriffe schließlich ihre inhaltliche Identität mit den Vorstellungen, denen sie entsprangen, verlieren, und werden somit von den Vorstellungen endgültig losgelöst. Es sei angemerkt, daß hier der Begriff «Vorstellung» nicht nur die anschaulichen, sondern auch die unanschaulichen Vorstellungen umfaßt. Unsere Abhandlung befaßt sich nur mit den wissenschaftlichen Begriffen, die allgemein auf dem Erkenntniswege gebildet werden. Dagegen können im nichtwissenschaftlichen Bereich freilich auch Begriffe auf andere Weise entstehen; so werden Begriffe, die Wünsche oder Befehle intendieren, nicht über Erkenntnisvorstellungen hinweg gebildet.

7.2.3. Bedeutung und Intention des Begriffs

Begriffe haben ontische und semantische Eigenschaften. Die Gesamtheit der rein ontischen Eigenschaften eines Begriffes ist seine apperzeptive Natur; die Gesamtheit der semantischen Eigenschaften eines Begriffes machen seine Bedeutung aus. Man kann also den apperzeptiven Aspekt des Begriffes untersuchen (dies tut die Psychologie), und man kann demgegenüber den semantischen Aspekt des Begriffes untersuchen (dies tut die Semantik). Die beiden Aspekte des Begriffes bilden realiter (in Wirklichkeit) eine Einheit, doch können sie idealiter (gedanklich) in der wissenschaftlichen Untersuchung einzeln betrachtet werden.

Die Bedeutung eines Begriffes ist seine Beschaffenheit, wodurch der Begriff Seinsheiten repräsentiert (wiedergibt, abbildet). Diejenigen Seinsheiten, die der Begriff repräsentiert, werden seine Designate genannt, und die Repräsentation der Designate des Begriffs vermöge seiner Bedeutung nennen wir die Intention des Begriffs. (zum Beispiel gibt es den Begriff «Haus», der als seine Designate alle Häuser intendiert.)

7.2.4. Begriffsbildung

Wissenschaftliche Begriffe können auf einem direkten und einem indirekten Erkenntniswege entstehen (vgl. 3.6.). Auf direktem Erkenntniswege entstehen Begriffe durch empirische oder apriorische Weise. (Wenn etwa ein Chemiker auf empirischem Wege eine bisher unbekannte chemische Verbindung erforscht und dabei einen Begriff dieser chemischen Verbindung bildet, entsteht ein Begriff auf direktem Erkenntniswege.) Wenn Begriffe auf direktem Erkenntniswege entstehen, so sprechen wir von Ideation (direkter Begriffsbildung). Auf indirektem Erkenntniswege entstehen Begriffe durch sprachliche Vermittlung. (Wenn etwa ein Biologie-Lehrer den Schülern auf sprachliche Weise den Begriff «medulla oblongata» vermittelt [an

Hand von Erklärungen und evtl. auch durch Bilder, was ebenfalls indirekt wäre], so entsteht auf indirektem Erkenntniswege bei den Schülern der Begriff der «medulla oblongata». Derselbe Begriff könnte auch auf direkte Erkenntnisweise [nämlich auf empirische Weise bei der Sektion eines Schädels] gewonnen werden.) Wenn Begriffe auf indirektem Erkenntniswege, nämlich durch die sprachliche Vermittlung von seiten einer anderen Person gebildet werden, so nennen wir die sprachliche Vermittlung von seiten der anderen Person an diejenige Person, bei der sich der Begriff bildet, Definition. Wenn die Person, an die eine Definition vermittelt wird, auch die sprachliche Verlautbarung als Übermittlungsträger der Definition empirisch und deshalb direkt apperzipiert, so ist doch die Bildung des Begriffes keine direkte, auf Empirie (oder Apriorität) beruhende Ideation.

7.3. Begriffsinhalt und Begriffsumfang

7.3.1. Begriffsinhalt

Die Bedeutung eines Begriffes als die Gesamtheit seiner semantischen Eigenschaften wollen wir im folgenden den Begriffsinhalt nennen. Der Inhalt eines Begriffes ist die Summe seiner Merkmale, die allerdings ein bestimmtes Gefüge bilden müssen. Wir müssen streng unterscheiden zwischen den Merkmalen, die einen Begriff konstituieren, und den Bestimmungen (Eigenschaften), welche Seinsheiten konstituieren. (So hat ein Baum als bewußtseinstranszendente Seinsheit die Bestimmungen der Hölzernheit, der Brennbarkeit, der Blättrigkeit, der Grünheit usw. Demgegenüber gibt es einen Begriff «Baum», der als Merkmale die einzelnen Vorstellungen dieser Bestimmungen hat.) Die Merkmale eines Begriffes bilden also die Bestimmungen der Seinsheiten, die ein Begriff intendiert, ab. Dabei stehen die Merkmale im semantischen Bereich zu den Begriffen, wie im ontischen Bereich die Bestimmungen zu den Seinsheiten stehen: Fehlen die Merkmale beziehungsweise die Bestimmungen, so löst sich der Begriff beziehungsweise die Seinsheit auf.

7.3.1.1. Essentielle und akzidentelle Bestimmungen (vgl. 2.3.)
Es ist wichtig, zu unterscheiden zwischen der Intention der Seinsheiten durch den Begriff und der Intention (oder Repräsentation)

der Seinsheitsbestimmungen durch die Begriffsmerkmale, denn meistens gibt ein Begriff nicht alle Bestimmungen seiner Designate wieder. Alle Bestimmungen der Designate, die die Merkmale des entsprechenden Begriffes intendieren, sind essentielle Bestimmungen dieser Designate, während alle übrigen Bestimmungen, die den Designaten sonst noch zukommen können, akzidentelle Bestimmungen der Designate des betreffenden Begriffes sind. Die Klassifikation der Seinsheitsbestimmungen in essentielle und akzidentelle ist somit wesenhaft auf die Begriffsinhalte bezogen; an sich betrachtet, sind dagegen die Bestimmungen von Seinsheiten weder essentiell noch akzidentell. Bestimmungen kommen Seinsheiten entweder zu oder nicht zu, doch dieses Zukommen kann rein ontisch gesehen nicht als notwendig oder möglich bezeichnet werden. Die genannte Klassifikation ist also nur begrifflich relevant.

7.3.2. Begriffsumfang und mögliche Intention

Mit dem Begriffsinhalt ist auch zugleich die Möglichkeit des Vorhandenseins eines entsprechenden Begriffsumfanges gegeben. Dabei verstehen wir unter dem Begriffsumfang die Summe der Begriffsdesignate. (Die Summe aller Bäume ist der Begriffsumfang des Begriffes «Baum».) Wenn wir sagen, daß ein Begriff seine Designate intendiere, so meinen wir damit, daß ein Subjekt, das den Begriff gerade begreift, das heißt dessen Bewußtsein gerade von dem Begriff erfüllt ist, vermöge des Begriffsinhaltes die Designate des Begriffes dadurch repräsentiert, indem es sie gedanklich vergegenwärtigt. Da jedoch ein Subjekt bei Begriffen, die viele Designate haben (etwa bei dem Begriff «Baum») unmöglich an alle Designate zur gleichen Zeit denken kann (nach dem Gesetz der Sukzessivität der Apperzeptionsgegenstände, nach welchem Gesetz immer nur ein Objekt nach dem anderen vergegenständlicht werden kann) und überdies meistens nicht einmal alle Designate kennt, könnten wir strenggenommen nicht davon sprechen, daß ein Subjekt bei diesen Allgemeinbegriffen alle die Designate intendiert, die an sich für den Allgemeinbegriff zutreffen würden. Wir wollen dagegen zur Erzielung größerer Allgemeinheit und zur Vermeidung komplizierter Umschreibungen von dieser Relativierung der Intentionalität, das heißt der Fähigkeit des Gerichtetseins auf Designate, absehen und unter der Intention der Begriffsdesignate diejenige Intention verstehen, die ein Begriff haben könnte, wenn dem hinter dem Begriff stehenden begreifenden Subjekt keine Grenzen des Erkennens und des Vorstellens der Begriffs-designate gesetzt wären. Wir sprechen also im folgenden nicht mehr von der wirklichen Intention, die bei den einzelnen Subjekten sehr verschieden wäre, sondern von der möglichen Intention, die bei allen Subjekten die gleiche ist, sofern sie denselben Begriff begreifen. Während der Einzelbegriff (etwa ein Personenname) in eigentlicher Weise sein Designat repräsentiert (man denkt wirklich an die Person), kann ein Allgemeinbegriff eine solche Repräsentation nicht leisten. Vielmehr stellt man sich bei Allgemeinbegriffen ein Designat vor, das für die ganze Designatenklasse des Allgemeinbegriffes repräsentativ ist, oder man hat eine Allgemeinvorstellung im Bewußtsein, die zwar nicht ausdrücklich nur für ein Designat gilt, aber dafür für jedes beliebige Designat der Gesamtheit der Designate des Allgemeinbegriffes zutreffen könnte. Der Begriff der Intention bringt dabei die Relation zwischen Begriff und Designaten sehr schön zum Ausdruck.

7.4.   Personaler und überpersonaler Begriff

Begriffe als apperzeptive Gebilde sind wesenhaft auf Subjekte bezogen, das heißt Begriffe können nur in dem Bewußtsein eines Subjektes auftreten und niemals außerhalb davon. Selbst dann, wenn im Sinne einer platonischen Ideenlehre auch neben den bewußtseinsimmanenten Begriffen solche Begriffe existierten, die durch eine Bewußtseinstranszendenz bestimmt würden, was sich allerdings nicht gnoseologisch erweisen läßt, würde dadurch die Tatsache unberührt bleiben, daß es auch bewußtseinsimmanente Begriffe gibt, welche indes die einzigen Begriffe sind, die sich die Semantik zum Thema machen kann, weil man allein über deren Dasein und Sosein Gesichertes ausfindig machen kann.

Wenn nun aber das eine Subjekt mit einem bestimmten Begriff genau dieselben Designate meint wie ein anderes Subjekt mit einem anderen Begriff, wäre es für den Sprachgebrauch und die Verständigung sehr umständlich, hier von verschiedenen Begriffen zu reden. Vielmehr ist es ratsam, ontisch verschiedene, jedoch semantisch gleiche Begriffe als *einen* Begriff zusammenzufassen. (Wir sprechen etwa nicht von den Begriffen «Baum», welche die Personen A, B, C usw. haben, sondern vom Begriff «Baum» schlechthin.) Es ist offensichtlich, daß dieser *eine* Begriff, der vertretungsweise für die einzelnen bedeutungsgleichen Begriffe der einzelnen Subjekte steht, nicht ein platonisches Gebilde ist, weil es sonst außerhalb des Bewußtseins existieren müßte. Es handelt sich bei dem einen Begriff vielmehr nur um eine rein gedankliche Zusammenfassung der einzelnen bedeutungsgleichen Begriffe zu einem weiteren Begriff, der *im* Bewußtsein eines Subjektes existiert, wobei dieser übergeordnete Begriff von den ontischen Besonderheiten der diesbezüglichen personalen Begriffe abstrahiert.

Diejenigen Begriffe nun, die wir von bestimmten Subjekten abhängig machen, wollen wir personale Begriffe nennen. Solche personalen Begriffe haben praktisch nur bei den historisch orientierten Wissenschaften Bedeutung (wenn man etwa von dem Begriff «a priori» bei Kant spricht u.ä.). Begriffe dagegen, die nicht auf bestimmte Personen bezogen werden und bedeutungsgleiche Begriffe verschiedener Subjekte zusammenfassen, wollen wir überpersonale Begriffe nennen. Ein überpersonaler Begriff kann stets dann gebildet werden, wenn verschiedene Personen bedeutungsgleiche Begriffe haben. Bedeutungsgleichheit ontisch verschiedener Begriffe liegt dann vor, wenn die ontisch verschiedenen Begriffe denselben Umfang und denselben Inhalt haben. Dabei müssen die Umfänge sogar ontisch identisch sein. Nun können aber ontisch verschiedene Begriffe, obwohl sie im Hinblick auf ihre Umfänge identisch sind, ungleiche Inhalte haben, was von den Erkenntnisniveaus der einzelnen Subjekte, die die ontisch verschiedenen Begriffe haben, abhängt. (Zum Beispiel kann der Umfang des Begriffes «Pferd» derselbe sein, das heißt man kann dieselben Pferde meinen, auch wenn der Inhalt des Begriffes Pferd veränderlich ist. So kann sich der personale Begriff «Pferd», den ein bestimmtes Stadtkind hat, wesentlich von dem personalen Begriff «Pferd», den ein bestimmter Hippologe hat, inhaltlich unterscheiden.) Solche bedeutungs*un*gleichen, aber immerhin bedeutungsverwandten Begriffe können nur noch als analog bezeichnet werden. In der Umgangssprache werden allerdings auch von analogen Begriffen überpersonale Begriffe gebildet.

7.5.   Eindeutigkeit und Undeutlichkeit von Begriffen

Während inhaltlich gleichen, aber bei verschiedenen Subjekten existierenden Begriffen eine Bedeutungsgleichheit zukommt, kommt einem einzigen Begriff, den ein bestimmtes Subjekt zu einem bestimmten Zeitpunkt hat (nach dem Satz vom ausgeschlossenen Dritten) stets nur *eine* Bedeutung zu, womit also einzelne Begriffe stets eindeutig sind. Denn der Begriff eines bestimmten Subjektes ist zu einem bestimmten Zeitpunkt auf bestimmte Weise beschaffen und hat dementsprechend einen bestimmten Inhalt (seine Bedeutung) und einen bestimmten Umfang. Diese Eindeutigkeit trifft freilich nicht nur für personale, sondern auch für überpersonale Begriffe zu. (Bei der umgangssprachlichen Behauptung, daß ein Begriff mehrdeutig sei, wird der Begriff mit dem Wort, das den Begriff intendiert, verwechselt. Wenn ein Wort auch mehrdeutig sein kann (und dies auch sehr häufig ist), kann *der* Begriff, der von dem Wort vermöge *einer* seiner Bedeutungen intendiert wird, nicht nochmals mehrdeutig sein.)

Wenn aber ein Subjekt sich noch nicht hinlänglich über die Beschaffenheiten einer bestimmten Klasse von Seinsheiten klar geworden ist, kann es einen Begriff haben, der nicht durch Eindeutigkeit charakterisiert ist. Doch liegt auch hier keine Mehrdeutigkeit vor, sondern eine Undeutlichkeit oder Undeutbarkeit des Begriffes. Solche Begriffe, bei denen das begreifende Subjekt weder den Inhalt noch den Umfang des Begriffes genau angeben kann, nennen wir vage Begriffe (unklare, verschwommene Begriffe). (Zum Beispiel haben wir in der Umgangssprache den vagen Begriff «Jugendlicher», zu dem wir nicht alle Designate ausmachen können, weil wir unschlüssig sind, welche zeitliche Bestimmung den Jugendlichen zukommen könnte. Definiert man nun den Begriff «Jugendlicher» als «einen Mensch, dessen Alter zwischen 14 und 21 Lebensjahren liegen kann», so wird aus dem vagen ein präziser Begriff, der wiederum durch Eindeutigkeit charakterisiert wird.)

Bei der Begriffsbildung durch Ideation oder vermittelte Definition sind vage Begriffe meist Übergangsbegriffe zu den entsprechenden präzisen Begriffen. Doch können vage Begriffe oft auch deshalb nicht in präzise Begriffe verwandelt werden, weil dem direkt oder indirekt Erkennenden eine Grenze der Erkennbarkeit gesetzt ist. (So kann der Begriff «Seele» nicht präzis gemacht werden, weil die direkten Erkenntnismöglichkeiten definitiv begrenzt sind. Umgekehrt kann bei indirekter Erkenntnis (durch sprachliche Vermittlung) ein schlechter Schüler beispielsweise bestimmte Begriffe nicht präzis bilden, weil sein Begriffsvermögen begrenzt ist.) Die Existenz vager Begriffe läßt sich jedoch nicht nur gnoseologisch, sondern auch ontologisch begründen, denn vielfach werden vage Begriffe deshalb nicht präzisiert, weil dadurch die (ontische) Wirklichkeit vergewaltigt würde. (So paßt der oben präzisierte Begriff des Jugendlichen gar nicht auf alle Jugendlichen, denn viele Menschen sind noch de facto jugendlich, obwohl sie das 21. Lebensjahr bereits längst überschritten haben.) Diese Diskrepanz zwischen solchen vagen und entsprechenden präzisen Begriffen läßt ein wichtiges begriffliches Gesetz zutage treten: nämlich daß man nicht Begriffe bilden soll, wie es gerade zweckmäßig erscheint (etwa wie bei der Präzision des Begriffes des Jugendlichen für das Gesetz), sondern daß eine Ausrichtung an den Bestimmungen der Seinsheiten vonnöten ist, wenn die Objektivität von Begriffen überhaupt gewahrt werden soll.

7.6. Die elementaren Begriffsarten

Wir können zwei Gattungen von Begriffsarten unterscheiden: die Gattung der speziellen Begriffsarten und die Gattung der elementaren, generellen Begriffsarten, welche die speziellen Begriffsarten einbegreifen. Zu den speziellen Begriffsarten sind vornehmlich diejenigen Begriffsgruppen zu rechnen, die für bestimmte Wissensgebiete zutreffen, obwohl Überschneidungen möglich sind und auch häufig vorkommen. (So gibt es biologische, philologische Begriffe usw., die jeweils eine spezielle Begriffsart bilden.) Während die speziellen Begriffsarten nach inhaltlichen Gesichtspunkten klassifiziert werden, konstituieren sich die elementaren Begriffsarten aus den mannigfaltigen formalen und deshalb nicht inhaltsbezogenen Korrelationen, die zwischen den Merkmalen und Designaten von Begriffen walten können.

Zu den elementaren Begriffsarten gehören ferner die Gegenstands-, Bestimmungs- oder Seinsheitbegriffe, welche das innerste Wesen des Begriffes als solchen ausmachen und deshalb hier zuerst erörtert werden sollen.

7.6.1. Gegenstands-, Bestimmungs- und Seinsheitbegriffe

Sofern ein Begriff Bestandteil einer Aussage ist, ist er eindeutig entweder als Gegenstands- oder als Bestimmungsbegriff zu klassifizieren. Dabei kann bei einfachen attributiven Sachverhalten der Gegenstandsbegriff als Teil der entsprechenden Aussage entweder *einen* Gegenstand (etwa *Dieser Hund* bellt) oder *mehrere* Gegenstände (etwa *Alle Tiere* atmen) intendieren. Bei relationalen Sachverhalten (Relationen) kann der Gegenstandsbegriff als Teil der entsprechenden Aussage *einen* Gegenstand intendieren, wobei zu unterscheiden ist zwischen Referens (*Er* sieht den Baum) und Relat (Er sieht den *Baum*); oder der Gegenstandsbegriff intendiert *mehrere* Gegenstände (*Sie* [Referens] sehen *die Bäume* [Relat]). Wenn einem Gegenstand A in bezug auf einen anderen Gegenstand B eine Bestimmung zukommt, so nennen wir Gegenstand A Referens und Gegenstand B Relat (Referens = beziehend, Relat = bezogen; vgl. 2.4.1.).

Bei attributiven Sachverhalten kann der Bestimmungsbegriff als Teil der entsprechenden Aussage entweder *eine* Bestimmung (etwa Dieser Hund *bellt*) oder *mehrere* Bestimmungen intendieren (etwa Viele Hunde *beißen*), wobei wir die Bestimmungen hier als monovalent bezeichnen. Man beachte, daß eine Bestimmung in Pluralität auftreten kann. Analog kann bei relationalen Sachverhalten (Relationen) der Bestimmungsbegriff eine Bestimmung oder mehrere intendieren, wobei wir die Bestimmungen hier als polyvalent bezeichnen, weil sie sich nicht nur auf das Referens, sondern auch auf das Relat beziehen (etwa: Er *sieht* den Baum; Sie *sehen* die Bäume).

Ein Begriff kann jedoch auch losgelöst von einer Aussage als isolierter Begriff betrachtet werden, wobei das entsprechende Begriffswort meist in Gestalt eines Substantivs auftritt (der Mann, das Verstehen, die Rotheit usw.). Doch kann von einem isolierten Begriff nur noch gesagt werden, daß er Seinsheiten intendiert, wobei es unbestimmt bleibt, ob diese Seinsheiten Gegenstände oder Bestimmungen sind. (So ist der Begriff «gehen» ein Seinsheitbegriff, wenn er isoliert betrachtet wird. In den Aussagen «Er geht» oder «Das Gehen ermüdet» ist der Begriff «gehen» jedoch eindeutig im ersten Fall ein Bestimmungs- und im zweiten Fall ein Gegenstandsbegriff.) Weil indes viele Begriffe in vielen Aussagen entweder als Gegenstandsbegriffe (etwa «Haus», «Baum» usw.) oder als Bestimmungsbegriffe (etwa «gehen», «rot» usw.) auftreten, bezeichnet man auch die entsprechenden isolierten Begriffe als Gegenstands- oder Bestimmungsbegriffe.

Es ist eine evidente Tatsache, daß Begriffe vom Typus «Sachverhalt», «Relation», «Zustand» usw., selbst wenn sie Bestandteile von Aussagen sind, keine der oben genannten Sachverhaltskomponenten als Designate haben. Es handelt sich nämlich hierbei nicht mehr um elementare, sondern um komplexe Begriffe, die ihrerseits komplexe Sachverhaltskomponenten als Designate haben. Diese komplexen

Begriffe seien in unserer elementaren Darstellung ausgeklammert, wobei übrigens nicht das Bild des elementaren Begriffes verzerrt wird, insofern die Gesetze, die für die elementaren Begriffe zutreffen, auch mit den nötigen designatorischen (die Designate betreffenden) Abwandlungen für die komplexen Begriffe Geltung haben.

Es sei hier nochmals darauf hingewiesen, daß nicht nur Gegenstände, sondern auch Bestimmungen bestimmt werden können und auch faktisch bestimmt werden. Dabei kann eine Bestimmung auf mindestens drei Weisen bestimmt werden: durch ihr Dasein (Existenz), durch ihr Sosein (Wesen, Essenz) und durch ihr Bezogensein auf den Gegenstand (oder die Gegenstände). (Etwa kann von einer Farbe als einer Eigenschaft ausgesagt werden, daß sie existiert, daß sie auf bestimmte (atomare) Weise beschaffen ist und daß sie einem bestimmten Gegenstand angehört.) Wollte man hierbei die Existenz von Bestimmungen (oder Eigenschaften) leugnen, so müßte man auch die Existenz von Gegenständen leugnen, weil sie von den Bestimmungen konstituiert werden. Der Hinweis auf die Bestimmbarkeit einer beliebigen Seinsheit ist insofern bedeutsam, als nur dadurch der Begriff einer beliebigen Seinsheit definiert werden kann, weil die Definition von Begriffen zeigt, durch welche Bestimmungen die Begriffsdesignate bestimmt werden.

7.6.2. Übersicht über die elementaren Begriffsarten

Begriffe haben stets einen Inhalt, doch lassen sich die Begriffe hinsichtlich der Anzahl der Merkmale, die die Begriffsinhalte bilden, in inhaltsreiche und inhaltsarme Begriffe aufteilen. Ferner lassen sich die Inhalte verschiedener Begriffe miteinander vergleichen, wodurch sich sinnverwandte Begriffe finden lassen.

Begriffe können, aber sie müssen nicht existente Designate haben. Hierbei kann man die Begriffe in subjektive und objektive Begriffe aufteilen, wobei die objektiven Begriffe, welche existente Designate haben, im Hinblick auf die Anzahl ihrer Designate in Einzel- und Allgemeinbegriffe klassifiziert werden können.

Überdies kann man verschiedene Begriffe daraufhin untersuchen, ob sie gleiche Designate haben, wodurch sich unter anderen Art- und Gattungsbegriffe unterscheiden lassen. Bei den letztgenannten Begriffen liegen besondere Beziehungen zwischen Inhalt und Umfang vor, welche unter dem Gesetz der Reziprozität zusammengefaßt werden.

Die letzte von uns zu besprechende Begriffsklassifikation behandelt die Bezogenheiten zwischen Merkmalen und Bestimmungen, wobei hier konkrete und abstrakte Begriffe unterschieden werden können. Mit den aufgezählten Begriffsarten sind die wichtigsten Begriffsarten genannt. Alle weiteren Begriffsarten, die sich aufweisen lassen, nähern sich zusehends den speziellen, inhaltlich bestimmten Begriffen und sind deshalb für unsere allgemeine Semantik nicht mehr von Interesse.

7.6.3. Inhaltsarme, inhaltsreiche und sinnverwandte Begriffe

Hinsichtlich der Anzahl der Merkmale lassen sich die Begriffe in inhaltsreiche und inhaltsarme Begriffe klassifizieren, wobei der Inhaltsreichtum (viele Merkmale) oder die Inhaltsarmut (wenige Merkmale) eines Begriffes nur in Relation zu anderen Begriffen konstatiert werden kann. (So ist der Begriff «Baum» inhaltsreicher als der Begriff «Pflanze», aber inhaltsärmer als der Begriff «Tannenbaum».) Da sich die Merkmale eines Begriffes jedoch einer eindeutigen numerischen Aufzählung entziehen, lassen sich disparate Begriffe, die nur wenige Merkmale gemeinsam haben (etwa Baum, Stein) kaum auf das Ausmaß ihrer Inhalte hin vergleichen. Ein Vergleich ist deshalb nur bei Art- und Gattungsbegriffen möglich, weil sie bis auf wenige Merkmale gleich sind, wobei die Merkmale, um die sie nicht gleich sind, dem Artbegriff zusätzlich zukommen. Eine weitere Vergleichsmöglichkeit ist allerdings auch dann gegeben, wenn die Designate des einen Begriffes die Designate des anderen (räumlich) umfassen, wenn also ein Verhältnis des Ganzen zu seinen Teilen vorliegt. (So ist Frankfurt ein kleiner Teil Deutschlands, weshalb der Begriff «Deutschland» inhaltsreicher ist als der Begriff «Frankfurt». Doch sind die Umfänge der beiden Begriffe, rein numerisch gesehen, gleich, denn beide Begriffe haben nur jeweils ein Designat.)

Nur personale Begriffe können bedeutungsgleich sein. Bei überpersonalen Begriffen gibt es höchstens eine Bedeutungsähnlichkeit. Wenn dabei Begriffe bedeutungsähnlich sind, so sprechen wir von sinnverwandten Begriffen. Im strengen Sinne des Begriffes sind alle Begriffe miteinander sinnverwandt, weil sie stets elementare Merkmale gemeinsam haben. (So hat der Begriff «Baum» mit dem Begriff «Sonne» das Merkmal der Stofflichkeit gemeinsam.) Doch wollen wir hier dem allgemeinen Sprachgebrauch entsprechend nur diejenigen Begriffe als sinnverwandt bezeichnen, die in den meisten Merkmalen übereinstimmen (etwa Fluß, Strom), wobei wir hier allerdings eine präzise Definition des Begriffes «meiste Merkmale» vermeiden wollen. Bei zwei Begriffen gibt es nur zwei Möglichkeiten der Sinnverwandtheit: entweder ist der eine Begriff inhaltsreicher als der andere oder umgekehrt. Begriffe, die nach obiger Definition nicht als sinnverwandt gelten (Baum, Sonne), haben wir bereits als disparat (inhaltlich getrennt) bezeichnet.

Sinnverwandt sind Art- und Gattungsbegriffe sowie die oben genannten Begriffe, deren Designate sich wie das Ganze zu den Teilen verhalten.

7.6.4. Subjektive und objektive Begriffe

Hinsichtlich der Existenz der Begriffsdesignate lassen sich die Begriffe in subjektive und objektive Begriffe aufteilen. Objektive Begriffe haben Designate, die mit Ausnahme der Begriffe für geistige oder apperzeptive Gebilde außerhalb des Bewußtseins liegen und auch noch dann existieren, wenn sie nicht begriffen werden, wohingegen subjektive Begriffe (in der Logik spricht man von leeren Begriffen oder Nullklassen) keine existenten Designate haben und somit innerhalb des apperzeptiven Bereiches verbleiben. (So ist der Begriff «Mond» ein objektiver Begriff, weil ein Mond oder Monde als Designate des Begriffs existieren; dagegen ist der Begriff «Marsmensch» ein subjektiver Begriff, weil kein Marsmensch existiert.) Die Existenz der Designate ist allerdings nicht allein auf die Gegenwart restringiert; auch Designate, die existiert haben oder existieren werden, gereichen zu objektiven Begriffen. Ob allerdings mathematische Begriffe objektive Begriffe sind, ist umstritten und soll hier nicht weiter erörtert werden (vgl. 3.6.1.).

Bei den subjektiven Begriffen intendiert das Subjekt entweder irrtümlich Designate, es meint also, daß Designate existieren, während dies realiter nicht der Fall ist, oder das begreifende Subjekt ist sich der Nichtexistenz der Begriffsdesignate bewußt und verbleibt mit seinen Intentionen innerhalb der Vorstellungswelt. Man könnte hier von Scheinintentionen sprechen. Derartige subjektive Begriffe spielen bei der wissenschaftlichen Hypothesenbildung eine Rolle, wo man von absichtlich fingierten (fiktiven) Begriffen spricht. Es sei hier angemerkt, daß bei den subjektiven Begriffen im allgemeinen überbestimmte Begriffe vorliegen, so daß die Begriffsdesignate nicht alle Bestimmungen haben können, die die Merkmale der subjektiven Begriffe repräsentieren wollen. Abstrahiert man also von denjenigen Merkmalen, um die ein subjektiver Begriff überbestimmt ist, so entsteht wieder ein objektiver Begriff. (So existieren zwar Menschen, aber nicht solche, die auf dem Mars leben. Eliminiert man geistig das Merkmal «auf dem Mars lebend» von dem subjektiven Begriff «Marsmensch», so entsteht der objektive Begriff «Mensch».)

Die Klassifikation der Begriffe in objektive und subjektive Begriffe ist die wissenschaftlich relevanteste Begriffsklassifikation, weil die Wissenschaft neben wahren Aussagen (also Erkenntnissen) objektive Begriffe anstrebt. Doch weil sich in der Gnoseologie keine stichhaltigen Kriterien für die Unterscheidung wahrer und falscher Aussagen finden lassen, kann es auch kein stichhaltiges Kriterium für die Unterscheidung zwischen objektiven und subjektiven Begriffen geben, weil diese Bestandteile der wahren oder der falschen Aussagen sind.

Es sei hier darauf hingewiesen, daß es einen nichtwissenschaftlichen Sprachbereich gibt, in dem sich fast nur subjektive Begriffe vorfinden. Dieser Sprachbereich ist die Dichtkunst mit ihren Werken.

7.6.5. Einzel- und Allgemeinbegriffe

Hinsichtlich der Anzahl der existenten Designate teilt man die objektiven Begriffe in Einzelbegriffe (Individualbegriffe, Eigennamen) und Allgemeinbegriffe (Klassenbegriffe) auf. Der Einzelbegriff ist ein Begriff, der nur ein einziges Designat hat (etwa «Eiffelturm»); der Allgemeinbegriff ist ein Begriff, der mindestens zwei Designate hat (etwa «Turm»). Ein objektiver Einzelbegriff kann stets dann gebildet werden, wenn mindestens eine Bestimmung einer Seinsheit und nur dieser Seinsheit zukommt, wobei dementsprechend der Einzelbegriff mindestens ein Merkmal aufweisen muß, das nur ihm und keinem anderen Begriff inhäriert. Dagegen kann ein objektiver Allgemeinbegriff stets dann gebildet werden, wenn mindestens zwei Seinsheiten existieren, die mindestens eine Bestimmung gemeinsam haben müssen, wobei dementsprechend der Allgemeinbegriff zumindest ein Merkmal haben muß, das die gemeinsame Bestimmung der Seinsheiten repräsentiert. (Bei den gemeinsamen Bestimmungen handelt es sich um räumlich differenzierte, aber ontisch gleichartig strukturierte Bestimmungen.) Obwohl die meisten Wörter einer Sprache Allgemeinbegriffe intendieren (es gibt nur verhältnismäßig wenige Eigennamen), existieren im Ontischen nur wenige Seinsheiten, die –

ungeachtet ihrer räumlich und zeitlichen Differenziertheit – einander gänzlich gleich sind. Bei den Allgemeinbegriffen kommt es aber (im Gegensatz zu den konkreten Begriffen) nicht wesentlich darauf an, ob die Designate der Allgemeinbegriffe einander völlig gleich sind, sondern die Designate müssen lediglich diejenigen Bestimmungen gemeinsam haben, die von den Merkmalen der Allgemeinbegriffe intendiert werden.

Die Allgemeinbegriffe dominieren in den nomothetischen Wissenschaften, die Einzelbegriffe in den idiographischen Wissenschaften (vgl. 3.7.1.). Überdies werden die Einzelbegriffe vornehmlich in der Alltagssprache verwandt. Oft werden dabei auch Allgemeinbegriffe restringiert auf ein Designat gebraucht, indem sie demonstrativ bestimmt werden. (Etwa «Gib mir *dieses* Buch»; Der Begriff «Buch» ist sonst ein Allgemeinbegriff.)

Es sei darauf hingewiesen, daß die numerische Aufzählung der Designate von Begriffen bisweilen höchst problematisch ist, weshalb dann auch nicht eindeutig entschieden werden kann, ob diese Begriffe Einzel- oder Allgemeinbegriffe sind. Dies gilt besonders für Stoffbegriffe (etwa «Wasser», «Holz»), auf die die im nächsten Abschnitt zu entwickelnden Gesetze nur mit semantischen Schwierigkeiten angewendet werden können.

7.6.6. Begriffsumfangsbeziehungen

In Relation zu einem vorgegebenen Begriff können alle übrigen Begriffe danach klassifiziert werden, ob sie Designate mit dem vorgegebenen Begriff gemeinsam haben oder nicht. Wenn ein vorgegebener Begriff mit einem anderen Begriff eine bestimmte Anzahl von Designaten gemeinsam hat, so sagen wir, daß der vorgegebene Begriff zu dem anderen Begriff in einer designatorischen Beziehung steht: die betreffenden Begriffe sind umfangsverwandt. Wenn zwei Begriffe nicht zueinander in einer designatorischen Beziehung stehen, so nennen wir diese Begriffe designatorisch exklusive (ausschließende) Begriffe.

Zwei Begriffe, sofern sie mindestens ein Designat gemeinsam haben, stehen zueinander in einer der folgenden vier designatorischen Beziehungen:

7.6.6.1. Gleichheit
Bei personalen Begriffen, die inhaltlich gleich oder auch verschieden sein können, und bei überpersonalen Begriffen, die inhaltlich ver-

schieden sein müssen, kann eine umfängliche (designatorische) Gleichheit oder Identität stets dann vorliegen, wenn alle Designate des einen Begriffes auch zugleich Designate des anderen Begriffes sind und umgekehrt alle Designate des anderen Begriffes auch zugleich Designate des einen Begriffes sind. Über die umfängliche Gleichheit bei personalen Begriffen wurde bereits gesprochen (7.4.). Bei den überpersonalen Begriffen gibt es zwei Möglichkeiten der umfänglichen Gleichheit: entweder werden von den zwei (oder mehreren) Begriffen zwei verschiedene Aspekte einer einzigen Seinsheit (oder Klasse von Seinsheiten) hervorgehoben (etwa «durch drei teilbare Zahl» – «Zahl, deren Quersumme durch drei teilbar ist»), oder die zwei Begriffe sind derart sinnverwandt, daß der eine Begriff nur einen um wenige Merkmale größeren Inhalt hat als der andere, wodurch die Umfänge gleich bleiben. Solche Begriffe sind dann meist in verschiedenen Sprachschichten beheimatet, wie beispielsweise die vulgären und die entsprechenden hochsprachlichen Begriffe, wobei die vulgären Begriffe noch zusätzlich Merkmale haben, welche eine axiologische Negativität der von den entsprechenden hochsprachlichen Begriffen neutral hingestellten Designaten akzentuieren. (etwa «Rotz» – «Nasenschleim») Umfangsgleiche überpersonale Begriffe, welche verschiedene Aspekte derselben Designate intendieren, kommen verschwindend selten vor und werden praktisch fast nie von einzelnen (nicht im Kontext stehenden) Wörtern intendiert, weshalb das (weiter unten zu explizierende) Reziprozitätsgesetz bisher vielfach unvollständig dargelegt wurde.

7.6.6.2. Überschneidung
Wenn einige Designate des einen Begriffes zugleich Designate des anderen Begriffes sind und umgekehrt einige Designate des anderen Begriffes auch zugleich Designate des einen Begriffes sind, wobei allerdings sowohl der eine als auch der andere Begriff noch weitere Designate haben, überschneiden sich die Begriffsumfänge und sind mithin partial identisch. (So überschneiden sich die Begriffsumfänge der Begriffe «Bauer» und «Deutscher», insofern einige Bauern Deutsche sind und einige Deutsche Bauern sind.)

7.6.6.3. Über- und Unterordnung
Wenn alle Designate des einen Begriffes zugleich Designate des anderen Begriffes sind, aber nicht umgekehrt alle Designate des anderen Begriffes auch Designate des einen Begriffes sind, womit der andere

Begriff noch zusätzlich weitere Designate hat, so liegt zwischen den zwei Begriffen eine designatorische Unterordnung (etwa «Hund» – «Tier») beziehungsweise eine designatorische Überordnung vor (etwa «Tier» – «Hund»), wobei der übergeordnete Begriff als Oberbegriff oder Gattungsbegriff und der untergeordnete Begriff als Unterbegriff oder Artbegriff bezeichnet wird.

7.6.7. Art- und Gattungsbegriffe

Wenn eine bestimmte Anzahl von Begriffen einem vorgegebenen Begriff in der Weise untergeordnet sind, daß sich die Designate des vorgegebenen Begriffes mit den Designaten der untergeordneten Begriffe decken und dabei kein untergeordneter Begriff ein Designat hat, das auch ein anderer der untergeordneten Begriffe hat, so nennt man den vorgegebenen, übergeordneten Begriff «Gattungsbegriff» und die untergeordneten Begriffe heißen «Artbegriffe». (Etwa «Wirbeltier» [Gattungsbegriff zu den Artbegriffen] – «Säugetier», «Fisch» usw.; auch «Farbigkeit» – «Rotheit», «Grünheit» usw.) Die Artbegriffe unterscheiden sich von den untergeordneten Begriffen dadurch, daß sie auf spezifische Weise nebengeordnet sind, wodurch ihre Homogenität (Gleichartigkeit) gewährleistet ist. Artbegriffe sind dadurch nebengeordnet oder homogen, indem sie sich nur in ganz wenigen Merkmalen unterscheiden, wodurch sie in gleichen Subsumptionsverhältnissen (sub-sumptio = Unter-ordnung) zu dem entsprechenden Gattungsbegriff stehen (vgl. «Buche», «Tanne» – «Baum»). Dagegen stehen Unterbegriffe zu einem Oberbegriff (bisweilen) in sehr verschiedenen Subsumptionsverhältnissen, weil sie sich merkmalsmäßig stark voneinander unterscheiden (vgl. «Tanne», «Baum», «Pilz» – «Pflanze»). Zu einem vorgegebenen Begriff läßt sich also stets ein Oberbegriff bilden, doch nur der nächsthöhere Oberbegriff sollte als Gattungsbegriff bezeichnet werden. (So ist beispielsweise der Begriff Tanne ein Artbegriff zu dem Gattungsbegriff «Baum», aber ein Unterbegriff zu dem Oberbegriff «Pflanze»).

Es sei hier jedoch darauf hingewiesen, daß sich die Grenzen zwischen Art- und Gattungsbegriff einerseits und Unter- und Oberbegriff andererseits verwischen können, weil der Begriff des *nächsthöheren* Gattungsbegriffes, der aus der oben erwähnten Homogenität resultiert, nicht zu straff definiert werden kann und soll.

Gattungsbegriffe haben im allgemeinen mehrere Artbegriffe, und Artbegriffe haben im allgemeinen mehrere Designate. Doch gibt es auch (uneigentliche) Artbegriffe, die nur ein einziges Designat haben, welches sui generis (einzigartig) genannt wird. Solche Artbegriffe sind keine Allgemeinbegriffe, sondern Einzelbegriffe.

Die Artbegriffe sind stets inhaltsreicher als der entsprechende Gattungsbegriff, wobei die Merkmale, um welche die Artbegriffe inhaltsreicher als der entsprechende Gattungsbegriff sind, als spezifische, das heißt arteigene Merkmale bezeichnet werden.

Dadurch, daß Artbegriffe selbst wieder als Gattungsbegriffe fungieren können, kann man von den höchsten Begriffen («Seinsheit» usw.) bis zu den niedrigsten Begriffen eine lückenlose Begriffsreihe oder mehrere, von einem Bezugspunkt (Oberbegriff) immer weiter ausstrahlende Begriffsreihen bilden, wobei die höheren Begriffe einen größeren Umfang (mehr Designate), aber einen kleineren Inhalt (wenigere Merkmale) als die niedrigeren Begriffe haben. Innerhalb dieser Begriffsreihen gilt das Gesetz der Reziprozität. (Ein Ausschnitt aus einer Begriffsreihe wäre etwa: ... «Mensch», «Mann», «Europäer», «Deutscher», «Frankfurter» ..., wobei hier noch weitere Zwischenglieder möglich sind.) Die Gesamtheit der Begriffsreihen kann man sich als ein kegelförmiges oder pyramidales Gebilde vorstellen, dessen Querschnitte die einzelnen Begriffsfelder darstellen.

7.6.7.1. Komplementärbegriffe
Eine besondere Art der Artbegriffe sind die komplementären Artbegriffe, deren es zwei Arten gibt, wobei sich jeweils zwei Begriffe inhaltlich ergänzen: 1. konträre Komplementärbegriffe: etwa «Mann» – «Frau»; 2. kontradiktorische Komplementärbegriffe: etwa fauler – nicht fauler Mensch. Der Gattungsbegriff zu den zwei Beispielen ist jeweils der Begriff «Mensch».

7.6.7.2. Sammelbegriffe
stellen eine merkwürdige Begriffsart dar, die einerseits den Gattungsbegriffen nahekommt, andererseits mit denjenigen Begriffen Verwandtschaft zeigt, die ein Ganzes als einen Komplex von Teilen repräsentieren (vgl. 7.6.3.). Sammelbegriffe unterscheiden sich nämlich von den entsprechenden Gattungsbegriffen dadurch, daß sie einen ganzen Komplex oder mehrere Komplexe als Designate haben. (So intendiert der Gattungsbegriff «Baum» die einzelnen Bäume, während der Sammelbegriff «Wald» ganze Baumbestände, also Komplexe intendiert. Deshalb ist es auch nicht möglich zu sagen, «Tannen

und Fichten usw. *sind* Wälder», sondern man muß formulieren «Tannen und Fichten usw. *konstituieren* Wälder.»)

7.6.7.3. Dezimalklassifikation

In wissenschaftlichen und besonders in technischen Büchern findet man heute immer mehr die Anwendung dezimalklassifikatorischer Prinzipien bei der Anordnung der einzelnen Kapitel eines Buches. (Hier soll freilich nicht die von dem amerikanischen Bibliothekar M. Dewey entwickelte Einteilung der Wissenschaften besprochen werden, die hauptsächlich bibliothekarischen Zwecken dient und deshalb keine gnoseologisch ausreichende Klassifikation der Wissenschaften darstellt.)

Eine wissenschaftliche Abhandlung kann als eine Explikation eines oder mehrerer inhaltlich verwandter Begriffe aufgefaßt werden. (So stellt ein Buch über allgemeine Biologie eine umfangreiche Explikation des Begriffes «Lebewesen» dar.) Hat nun eine wissenschaftliche Abhandlung die Explikation mehrerer Begriffe – und dies ist wohl meist der Fall – zum Thema, so lassen sich die einzelnen Begriffsexplikationen von den generelleren bis zu den spezielleren Begriffen gemäß der oben erwähnten Begriffsreihen anordnen. So entstehen dann (wie in unserer Abhandlung) Kapitelüberschriften etwa vom Typus: 3.6. Die Erkenntnisarten, 3.6.1. Empirische und apriorische Erkenntnis.

Dieses wissenschaftliche Voranschreiten vom Allgemeinen zum Besonderen hat jedoch mehrere Nachteile. Erstens ist diese Darstellungsweise oft völlig unpädagogisch, weil das Allgemeine wesentlich schwerer erfaßt wird als das Besondere; dies gilt besonders für die Beschreibung empirisch-induktiv gewonnener Erkenntnisse, weil der verstehende Nachvollzug einer solchen sprachlich vermittelten Erkenntnis ebenfalls am Einzelfall orientiert sein muß. Zweitens passen Vorbemerkungen und ähnliche Einschübe nicht recht in das Klassifikationsschema. Drittens müßte man bei der Behandlung eines speziellen Themas zu stark mit Unterordnungen operieren (1.1.1.1. usw.), wodurch die Relevanz des zu beschreibenden Themas zu sehr gemindert würde. (Die angeführten Nachteile zeigen, daß eine gemäßigte dezimalklassifikatorische Einteilung der Kapitel die wissenschaftlich zweckmäßigste darstellt.)

7.6.8. Reziprozität

Das Gesetz der Reziprozität wurde bisher oft unvollständig erfaßt, weil man nicht berücksichtigte, daß der Begriffsumfang bei Vermehrung oder Verminderung des Begriffsinhaltes auch gleich bleiben kann, weshalb es an sich keine echte Reziprozität zwischen Begriffsumfang und Begriffsinhalt gibt. Aus Traditionsgründen behalten wir jedoch hier den Namen des Gesetzes bei, das wir nunmehr wie folgt definieren: Zwischen Inhalt und Umfang eines objektiven Begriffes liegt das Verhältnis der Reziprozität vor, das heißt bei Verminderung des Begriffsinhaltes bleibt der Umfang des Begriffes entweder gleich, oder er wird größer; und bei Vermehrung des Begriffsinhaltes bleibt der Umfang des Begriffes entweder gleich, oder er wird kleiner. (So erhält man den Begriff «Mann», wenn man den Begriff «Mensch» um das Merkmal «männlich» vermehrt; oder man erhält den Begriff «Mensch», wenn man den Begriff «Mann» um das Merkmal «männlich» vermindert. Dabei hat der Begriff «Mann» einen größeren Inhalt, aber einen kleineren Umfang als der Begriff «Mensch»; der Begriff «Mann» ist inhaltlich um das Merkmal «männlich» größer als der Begriff «Mensch», und der Begriff «Mensch» ist umfänglich um die Designate der Frauen größer als der Begriff «Mann», denn der Begriff «Mensch» intendiert Männer und Frauen gleichermaßen.)

Für diejenigen Begriffe, die trotz Vermehrung oder Verminderung ihrer Inhalte umfangsgleich bleiben, gilt das, was in 7.6.6.1. gesagt wurde.

Im folgenden sei ein allgemeiner Beweis des von uns definierten Reziprozitätsgesetztes erbracht, der sich besonders auf die bereits erwähnte *mögliche* Intention der Designate stützt (7.3.2.):

Ein vorgegebener Begriff B1 (B eins) intendiere aufgrund seiner Merkmale a, b, c ... seine Designate 1, 2, 3 ..., denen als einzigen existenten Seinsheiten zur gleichen Zeit die Bestimmungen A, B, C ... zukommen, welche von den Merkmalen a, b, c ... repräsentiert werden. Verwandelt man nun den Begriff B1 in den Begriff B2, indem man den Inhalt des Begriffes B1 um das Merkmal a vermindert, so bleibt der Umfang des neuen Begriffes B2 entweder unvermindert, da er notwendigerweise zumindest die Designate von B1 intendieren muß, denen die Bestimmungen B, C ... neben A (und übrigens auch neben möglichen anderen Bestimmungen, sofern die Begriffe abstrakt sind) zukommen; oder aber der Umfang des Begriffes B2 wird größer, da möglicherweise neben den Designaten von B1, nämlich

1, 2, 3 ... auch noch weitere Seinsheiten existieren können, die die Bestimmungen B, C ... besitzen, aber notwendigerweise nicht noch dazu die Bestimmung A besitzen können (obwohl sie sonst noch andere Bestimmungen außer B, C ... haben können), da sie sonst bereits unter die Designate von B1 gefallen wären.

Verwandle ich dagegen den Begriff B1 in den Begriff B 3, indem ich den Inhalt des Begriffes B1 um das Merkmal z vermehre (wobei vorausgesetzt sei, daß z nicht unter die Reihe a, b, c ... falle), so kann entweder der Umfang des Begriffes B3 derselbe bleiben wie der von dem Begriff B1, sofern den Designaten von B1 neben den Bestimmungen A, B, C ... noch die Bestimmung Z zukommt, die aber von dem Begriff B1 nicht mitintendiert wurde, insofern ihm das Merkmal z nicht eignete; oder aber der Umfang von B3 wird kleiner, wenn nicht allen Designaten von B1 zusätzlich die Bestimmung Z zueigen ist. Größer kann der Umfang von B3 notwendigerweise nicht werden, da alle weiteren Designate von B3, denen die Bestimmungen A, B, C ... und Z eigneten, bereits Designate von B1 wären, denen die Bestimmungen A, B, C ... zukommen.

Zur Exemplifizierung des allgemeinen Beweises sei noch ein Schema eines einfachen reziproken Begriffsverhältnisses hinzugefügt. Dabei sind B1, B2 und B3 verschiedene Begriffe, denen die Merkmale a, b, c oder z zukommen. Ferner stehen die Zahlen 1, 2, 3 und 4 für vier verschiedene Seinsheiten, denen die Bestimmungen A, B, C oder Z zukommen. Die Linien zwischen den Begriffen und den Seinsheiten (Designaten) verdeutlichen die Reziprozitätsverhältnisse.

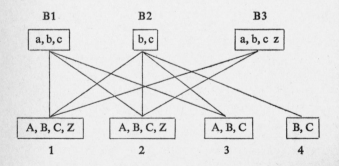

7.6.9. Konkrete und abstrakte Begriffe

Hinsichtlich der Übereinstimmung der Designatenbestimmungen mit den Merkmalen des Begriffes, der diese Designate intendiert und die Designatenbestimmungen repräsentiert, lassen sich die objektiven Begriffe in konkrete und abstrakte Begriffe aufteilen. Ein konkreter Begriff ist ein Begriff, bei dem die Begriffsmerkmale *alle* Designatenbestimmungen der intendierten Designate repräsentieren. Dagegen ist ein abstrakter Begriff ein solcher Begriff, bei dem die Begriffsmerkmale nur einige Designatenbestimmungen repräsentieren, wobei die Designate also noch weitere Bestimmungen haben, die von dem abstrakten Begriff nicht repräsentiert werden, weil dem abstrakten Begriff die Merkmale nicht eignen, vermöge deren er die weiteren Bestimmungen seiner Designate repräsentieren könnte.

Die Unterscheidung zwischen konkreten und abstrakten Begriffen geht auf die Unterscheidung zwischen der Intention der Designate und der Repräsentation der Designatenbestimmungen zurück (vgl. 7.3.2.). Der abstrakte Begriff abstrahiert demnach von den weiteren Bestimmungen, die seinen Designaten überdies zukommen, während der konkrete Begriff alle Bestimmungen seiner Designate vereint repräsentiert (con-cretus = verwachsen, verbunden). (So ist der Begriff «Pferd» bei einem Hippologen inhaltsreicher als bei einem Stadtmenschen, wodurch er auch zugleich konkreter ist; vgl. 7.4.)

Der Begriff «konkreter Begriff» ist wahrscheinlich ein subjektiver Begriff und hat somit kein Designat, weil es wohl kaum einen Begriff gibt, der *alle* Bestimmungen seiner Designate repräsentiert. Dies findet seine Begründung in der Endlichkeit des menschlichen Erkenntnisvermögens, denn ein Subjekt kann zwar relativ viel über die Designate eines bestimmten Begriffes wissen, womit dieser Begriff auch relativ konkret wäre; doch scheint es ziemlich unwahrscheinlich zu sein, ob man jemals *alles* über ein bestimmtes Designat oder eine Klasse von Designaten wußte oder wissen wird.

Wenn ein Subjekt eine umfangreiche Klasse von Designaten erkennen wollte, käme ein rein konkreter Begriff wegen der Mannigfaltigkeit der Designate ohnehin nie zustande. (So kann man nie alles über alle Bäume wissen.) Deshalb würden für rein konkrete Begriffe nur Einzelbegriffe in Frage kommen. Doch auch das Designat eines Einzelbegriffes ist im allgemeinen so komplex, daß das erkennende Subjekt unmöglich alles über dieses Designat wissen kann. (So könnte der Einzelbegriff «Eiffelturm» nie konkret werden, weil man sonst auch um die Atome und Elementarteilchen, aus denen sich der Eiffelturm letztlich konstituiert, wissen müßte.). Wenn andererseits ein Einzelbegriff ein unkomplexes Designat intendierte (etwa Elektron, Photon usw.), bestände auch hier die Möglichkeit nicht, einen konkreten Begriff zu bilden, weil gerade die elementare Beschaffenheit des betreffenden Designates eine definitive Grenze der Erkennbarkeit setzen würde. Aus dem Gesagten geht hervor, daß es konkrete Begriffe im strengen Sinne des Begriffes offenbar nicht gibt. Dies läßt sich allerdings, gnoseologisch gesehen, nicht beweisen, weil wir nicht wissen, ob die Designate eines vorgegebenen Begriffes noch weitere Bestimmungen haben oder nicht; denn wüßten wir um die weiteren Bestimmungen, dann hätten wir bereits entsprechende Merkmale dem Begriff ankristallisiert, womit eine neue Verifikation einsetzte. Wenn wir indessen auch nicht behaupten können, daß wir konkrete Begriffe haben, so läßt sich doch zweifellos feststellen, daß der eine Begriff konkreter sei als der andere, wenn wir personale Begriffe vergleichen. So kann denn auch von einem Subjekt konstatiert werden, daß es nunmehr von einer bestimmten Designatenklasse einen konkreteren Begriff als früher hat, weil das Subjekt jetzt mehr über die betreffenden Designate weiß als früher. Darin ist der Erkenntnisprogreß begründet, der sich als ein Versuch darstellt, einen bestimmten Begriff immer mehr zu konkretisieren, indem immer mehr Erkenntnismaterial dem Begriffe einverleibt wird, wodurch sein Inhalt bei gleichbleibendem Umfang erweitert wird. Jedes wissenschaftliche Streben kann deshalb als der Konkretisierungsversuch eines Begriffes angesehen werden. Der Erkenntnisprogreß zeigt im übrigen, daß ein Begriff etwas Veränderliches, Unkonstantes ist, das zwar vor und nach Erkenntnissen als eine konstante Einheit betrachtet werden kann, aber während desjenigen Erkenntnisaktes, der auf die Designate des betreffenden Begriffes gerichtet ist, stets die Möglichkeit einer Veränderung oder Modifikation in sich trägt.

Wir haben hier die Wörter «konkret» und «abstrakt» in einem von der Umgangssprache stark abweichenden Sinne gebraucht. Denn in der Umgangssprache werden – in Verkennung ontischer Bezogenheiten – Dinge als konkret und Eigenschaften als abstrakt bezeichnet, weil man meint, daß nur Dinge vergegenständlicht werden können.

Überdies gebraucht man die Wörter «konkret» und «abstrakt» auch noch für die Wörter «anschaulich» und «unanschaulich». Man sollte hier jedoch genauer unterscheiden. Anschaulich sind solche

Begriffe, deren Designate sinnlich (optisch) wahrgenommen (ange-
schaut) werden können, während dies bei unanschaulichen Begriffen
nicht der Fall ist. (So ist der Begriff «Baum» ein anschaulicher Begriff.) Die Tatsache, daß anschauliche Begriffe leicht verstanden
werden, nutzt man aus, wenn man komplizierte Sachverhalte verständlich machen will, indem man als Beispiele anschauliche Begriffe verwendet.

8.   DIE DEFINITION

Unter einer Definition (de-finitio = Ab-grenzung) verstehen wir
ganz allgemein die semantische Abgrenzung oder Bestimmung eines
Bedeutungsgebildes. Des näheren können wir Zeichendefinitionen,
Wortdefinitionen und Begriffsdefinitionen unterscheiden. Dabei verstehen wir unter der Zeichendefinition besonders die Definition
nichtsprachlicher Zeichen, während wir die Definition des Wortes,
das auch ein Zeichen ist, gesondert behandeln wollen.

Die Zeichendefinition gibt die einzelnen Bedeutungen eines Zeichens an. Die Wortdefinition legt dar, welche Begriffe ein Wort intendieren kann. Und die Begriffsdefinition zeigt, welche einzelnen
Merkmale ein Begriff hat (Diorismus).

8.1.   Die Zeichendefinition

Unter der Zeichendefinition verstehen wir die Angabe der Bedeutungen des Zeichens und somit die Angabe der Designate der von dem
Zeichen intendierten Vorstellung. Dabei unterscheiden wir die analytische und die synthetische Zeichendefinition. Die analytische Zeichendefinition ist eine erklärende Definition, weil durch sie die allgemein üblichen Bedeutungen oder Verwendungsweisen eines Zeichens demjenigen erklärt werden, dem die Bedeutungen des Zeichens
oder überhaupt das Zeichen als solches noch nicht bekannt sind.
(Wenn etwa im Verkehrsunterricht die Bedeutung eines Verkehrs-
schildes erklärt wird, so handelt es sich um eine analytische Zeichendefinition, weil das Verkehrsschild, dessen Bedeutung den Verkehrs-
schülern noch nicht bekannt ist, bereits als übliches Zeichen verwandt wird.) Dagegen ist eine synthetische Zeichendefinition eine
festsetzende Definition, weil durch sie entweder ein neues Zeichen mit
einer (neuen) Bedeutung belegt wird oder einem bereits gebrauchten
Zeichen eine weitere Bedeutung hinzugefügt wird, die übrigens auch
einem anderen Zeichen zukommen kann. (Wenn etwa ein neues Verkehrsschild eingeführt wird, so handelt es sich um eine synthetische
Zeichendefinition, weil das neue Verkehrsschild mit seiner (neuen)
Bedeutung bisher noch nicht allgemein bekannt war.) Eine besondere
Art der analytischen Zeichendefinition liegt dann vor, wenn demjenigen, der ein bestimmtes Zeichen erklären will, die Bedeutungen des-

selben selbst nicht bekannt sind. Eine solche analytische Zeichendefinition ist nur dann möglich, wenn das zu definierende Zeichen ein natürliches Zeichen ist, wenn also eine Determination oder Ikonisation vorliegt. Bei einem künstlichen Zeichen dagegen muß der Definierende sich an denjenigen wenden, der von dem künstlichen Zeichen Gebrauch macht und dem deshalb die Bedeutungen des Zeichens bekannt sind.

Die Zeichendefinition ist ein Akt des sprechenden Subjektes und hat deshalb die im Sprechakt verwandten Wörter sowie die korrelierenden Begriffe zur Voraussetzung, die auch demjenigen bekannt sein müssen, an den sich die Zeichendefinition richtet.

8.2. Die Wortdefinition

Die Wortdefinition grenzt die Bedeutungen eines vorgegebenen Wortes ab und zeigt deshalb, welche Begriffe von dem vorgegebenen Wort intendiert werden. Hierbei unterscheiden wir die analytische und die synthetische Wortdefinition.

8.2.1. Die analytische Wortdefinition

erklärt die möglichen Bedeutungen eines Wortes innerhalb einer bestimmten Sprache, womit angezeigt wird, welche Begriffe dieses Wort als Designate intendieren kann, sofern es *sprachadäquat* benutzt wird. Ein Sprecher benutzt ein Wort stets dann sprachadäquat, wenn eine bestimmte, möglichst große Anzahl anderer Sprecher dasselbe Wort in der gleichen Bedeutung benutzen. Es sollte übrigens angestrebt werden, daß alle an einem Sprachsystem Partizipierenden alle Wörter dieses Sprachsystems sprachadäquat verwenden, weil dadurch sprachliche Mißverständnisse aufgehoben werden.

Die analytische Wortdefinition ist insofern sehr schwer zu verwirklichen, als demjenigen, der ein vorgegebenes Wort analytisch definieren will, alle die Menschen bekannt sein müßten, die dieses Wort verwenden, weil nur auf diese Weise festgestellt werden kann, wie das Wort allgemein benutzt wird. Ist dies schon bei einem etwas größeren Sprecherkreis kaum realisierbar, so zeigt sich ferner, daß in den verschiedenen Sprecherkreisen (etwa Berufskreisen) bestimmte Wörter nur in ganz bestimmten Bedeutungen verwandt werden und daß überdies die einzelnen Wörter in den einzelnen Landstrichen zum Teil starken Bedeutungsverschiebungen unterworfen sind. Dies hat zur

Folge, daß man nicht von hauptsächlichen und nebensächlichen Bedeutungen eines vorgegebenen Wortes sprechen kann, sondern nur noch von nebengeordneten und somit gleichmäßig wichtigen Bedeutungen eines Wortes. (Wir müssen deshalb sagen, daß etwa das Wort «Satz» gleichermaßen einen grammatischen, einen typographischen oder einen musikalischen Begriff intendiert, obwohl viele Menschen das Wort «Satz» in der einen oder anderen Bedeutung selten oder nie verwenden.)

Wortdefinitionen vollziehen sich in Sätzen, die das zu definierende Wort (als Subjekt) enthalten müssen und überdies dasjenige Wort (als Objekt) enthalten, das den von dem zu definierenden Wort intendierten Begriff wiedergibt. Einem eindeutigen Wort genügt die Definitionsform: Das Wort x intendiert den Begriff x. (So ist die Wortdefinition «Das Wort «Samstag» intendiert den Begriff «Samstag»» ausreichend, weil das Wort «Samstag» eindeutig ist.) Mehrdeutige Wörter werden nach folgender Definitionsform definiert: Das Wort x intendiert die Begriffe a, b, c usw., wobei für a, b, c etc. eindeutige Wörter oder eindeutige umschreibende Ausdrücke substituiert werden müssen, die die einzelnen von dem zu definierenden Wort intendierten Begriffe wiedergeben. (So muß das vieldeutige Wort «Satz» folgendermaßen definiert werden: «Das Wort «Satz» intendiert die Begriffe «Spielabschnitt beim Tennis», «Bodenrückstand beim Kaffee», «Teil eines Instrumentalstückes» usw.»)

Der wortdefinitorische Satz intendiert eine Aussage, die sich aus Begriffen konstituiert, welche demjenigen, an den sich die Wortdefinition richtet, alle außer dem Begriff, der von dem zu definierendem Wort intendiert wird, bekannt sein müssen. (Wenn also etwa definiert wird, daß das Wort «Satz» u.a. den Begriff «Teil eines Instrumentalstückes» intendiert, so muß dieser Begriff demjenigen, an den sich die Wortdefinition richtet, bekannt sein.) Da jedoch die Begriffe nicht direkt, sondern über Wörter hinweg vermittelt werden, müssen auch die entsprechenden Begriffswörter bekannt sein, wenn die Wortdefinition – und dies gilt auch für die Begriffsdefinition sowie jede Zeichendefinition – verstanden werden soll. Einer Wortdefinition schließt sich deshalb oft eine entsprechende Begriffsdefinition an.

8.2.2. Methoden der analytischen Wortdefinition

Im allgemeinen vollzieht man die analytische Wortdefinition nicht dadurch, daß man die einzelnen Sprecher befragt, sondern dadurch, daß man ein geeignetes semasiologisches Wörterbuch zu Rate zieht, das im Idealfall zu allen Wörtern einer Sprache angeben sollte, welche Begriffe von ihnen intendiert werden. Nur wenn das Wörterbuch nicht weiterhilft oder wenn ein sprach*in*adäquat gebrauchtes Wort definiert werden soll, dessen sprachinadäquater Gebrauch freilich nicht im Wörterbuch registriert ist, wird es nötig sein, die Sprecher zu befragen. Wenn es hierbei nicht möglich ist, die Sprecher zu befragen, so ist es auch im allgemeinen unmöglich, die Wörter analytisch zu definieren. Hier sind nur Hypothesen oder Vermutungen möglich. (Wenn etwa ein längst verstorbener Verfasser in seinen Werken bestimmte Wörter sprachinadäquat verwandt hat, ist es meist nicht möglich, diese Wörter eindeutig analytisch zu definieren.)

Es seien nun vier Methoden genannt, die gestatten, ein Wort, das dem Definierenden nicht bekannt ist, auch ohne Rekurs auf die einzelnen Sprecher analytisch zu definieren, wobei jedoch eine weitgehende Kenntnis der übrigen Wörter des Sprachsystems vorausgesetzt werden muß, weil ohne diese Kenntnis ein Wort wegen seiner Künstlichkeit nicht analytisch definiert werden kann.

8.2.2.1. Semaphorische Teile

Man untersucht, ob das zu definierende Wort semaphorische (bedeutungtragende) Teile besitzt, die auch bei anderen Wörtern vorkommen. Dabei verstehen wir unter einem semaphorischen Teil eines Wortes einen lautlichen Teil desselben, der unabhängig von dem Wort als Ganzem einen bestimmten Begriff oder bestimmte Begriffe intendiert (vgl. 6.7.2.). Man kann sogenannte zentrale (kategorematische) semaphorische Teile (etwa «*Schön*-heit») von sogenannten peripheren (synkategorematischen) semaphorischen Teilen (etwa «Schön-*heit*») unterscheiden, wobei die ersteren selbständig und die letzteren unselbständig (semantisch abhängig) sind. In der Grammatik nennt man die zentralen semaphorischen Teile Wortstämme, und die peripheren semaphorischen Teile heißen Affixe (Präfixe, Suffixe).

8.2.2.2. Wortfamilie

Nun stellt man alle oder einen Teil der Wörter zusammen, die dieselben semaphorischen Teile wie das zu definierende Wort aufweisen (etwa «*Schön*-heit»: «ver*schön*ern, be*schön*igen; «Schön-*heit*»: «Klug-*heit*», «Weis*heit*»). Dabei heißt die Gruppe der Wörter, die den zentralen semaphorischen Teil aufweisen, Wortfamilie. Wären nun die sprachadäquaten Bedeutungen der semaphorischen Teile bekannt, so ließe sich das zu definierende Wort (etwa das Wort «Schönheit» bereits hinlänglich analytisch definieren.

8.2.2.3. Kontext

Oft ist die Zusammenstellung der Wortfamilie noch nicht ausreichend, weil viele Wörter in bestimmten Kontexten, also innerhalb bestimmter Sätze oder Ausdrücke ganz spezifische Bedeutungen annehmen können, die ihnen als isoliert betrachteten Wörtern nicht zukommen. Denn meistens werden nicht isoliert betrachtete Wörter definiert (dies trifft vornehmlich für die synthetische Wortdefinition zu), und es wird danach gefragt, welche Bedeutungen bestimmte Wörter innerhalb eines bestimmten Textes oder als Bestandteile einer Rede oder Unterhaltung haben. Um die spezifischen (meist metaphorischen) Bedeutungen bestimmter Wörter in bestimmten Kontexten ausfindig machen zu können, ist es nötig, den Kontext sowie den ganzen Text überhaupt zu berücksichtigen, der die spezifische Bedeutung des zu definierenden Wortes meist impliziert. Freilich darf der Kontext nicht selbst wieder spezifische (metaphorische) Bedeutungen haben, weil es sonst prinzipiell unmöglich ist, die eigentlichen Bedeutungen, die von dem Verfasser oder Sprecher gemeint waren, ausfindig zu machen. Wenn eine eindeutige Interpretation doch möglich ist, so rührt dies daher, daß der Verfasser nur Trivialitäten abhandelte (vgl. 3.7.3.).

8.2.2.4. Wortfeld

Eine weitere Präzisierung der analytischen Wortdefinition wird auch dadurch erreicht, daß man das entsprechende Wortfeld zusammenstellt, zu dem ein vorgegebenes Wort gehört. Dabei bezeichnet man mit dem Begriff «Wortfeld» im Gegensatz zu dem Begriff «Wortfamilie» diejenige Gruppe von Wörtern, die zwar verschiedene Lautstrukturen haben, aber als Designate Begriffe intendieren, die sich in Inhalt und Umfang nur wenig unterscheiden (etwa «schön», «ansehnlich», «hübsch» usw., vgl. 6.8.) Das Wortfeld steht im allgemeinen zur Wortfamilie wie die Gattung zur Art.

Dadurch, daß sich die Wörter eines Wortfeldes gegenseitig semantisch beeinflussen, lassen sich durch die Aufstellung eines Wortfeldes bei dem zu definierenden Wort eventuelle Bedeutungsdifferenzierungen feststellen.

Die vier genannten Methoden stellen nur Hilfsmittel zur analytischen Wortdefinition dar und führen oftmals nicht zu einer befriedigenden Definition, weil Wörter als künstliche Zeichen eigentlich nur mit Rekurs auf die Sprecher definiert werden können.

8.2.3.   Die synthetische Wortdefinition

Während sich die analytische Wortdefinition auf solche Wörter bezieht, die man als allgemein üblich und bekannt bezeichnen kann, wobei freilich das analytisch zu definierende Wort demjenigen nicht bekannt ist, an den die analytische Wortdefinition gerichtet ist, bezieht sich andererseits die synthetische Wortdefinition stets auf Wörter, die entweder völlig neu sind oder denen man nur neue Bedeutungen zulegt. Wir nennen eine Wortdefinition deshalb analytisch, weil die einzelnen Wortbedeutungen analysiert werden, wogegen wir deshalb eine Wortdefinition als synthetisch bezeichnen, weil neue Bedeutungsgebilde synthetisiert oder gebildet werden.

Die synthetische Wortdefinition ist eine festsetzende Definition, bei der entweder ein neues Wort mit einer neuen oder einer bereits einem anderen Wort zukommenden Bedeutung belegt wird, oder bei der einem bereits bekannten Wort eine weitere Bedeutung hinzugefügt wird oder umgekehrt zur Präzisierung und Eindeutigmachung ein Wort auf *eine* Bedeutung restringiert wird. Ein neues Wort wird meist dann eingeführt, wenn ein (meist neuer) Begriff intendiert werden soll, der mit dem bisherigen Wortschatz nur durch Umschreibungen, also durch mehrere Wörter oder Ausdrücke intendiert werden konnte. Es wird damit eine kürzere Formulierung von Sätzen angestrebt, wobei allerdings die Sätze, die das neue Wort enthalten, mit den längeren Sätzen, die die Umschreibungen enthalten, definitorisch gleich sind.

8.3.   Die Begriffsdefinition

grenzt den Bedeutungsgehalt eines vorgegebenen Begriffes ab und zeigt deshalb, welche Seinsheiten von dem zu definierenden Begriff als Designate intendiert werden. Wie bei der Zeichen- und der Wortdefinition unterscheiden wir auch hier eine analytische und eine synthetische Begriffsdefinition.

8.3.1. Die analytische Begriffsdefinition

ist im Idealfalle die vollständige und systematische Aufzählung aller
Merkmale des analytisch zu definierenden Begriffes, von dem gilt,
daß er zwar vielen Menschen bekannt ist, aber daß er nun auch einem
Menschen zugänglich gemacht werden soll, dem dieser Begriff bislang noch nicht bekannt gewesen ist. Wir unterscheiden hierbei die
analytische Definition objektiver Begriffe von der analytischen Definition subjektiver Begriffe. Die analytische Definition eines objektiven Begriffes ist eine *seinsadäquate* Definition, insofern der von ihr
definierte objektive Begriff erstens existente Designate hat und zweitens von seinen Designaten durch seine Merkmale nur diejenigen Bestimmungen repräsentiert, die den intendierten Seinsheiten auch wirklich zukommen. Die analytische Definition eines objektiven Begriffes
ist demnach identisch mit der partialen oder totalen Explikation oder
Beschreibung einer Seinsheit oder Klasse von Seinsheiten, wobei die
Partialität oder Totalität der Explikation davon abhängt, ob der zu
definierende Begriff ein abstrakter oder ein konkreter Begriff ist,
denn der abstrakte Begriff intendiert nur einige, während der absolut konkrete Begriff alle Bestimmungen der Seinsheit oder Seinsheiten intendiert. Da es jedoch wohl nur abstrakte Begriffe gibt (vgl.
7.6.9.), stellt die analytische Definition eines objektiven Begriffes in
genere eine partiale Explikation von Seinsheiten dar. Man kann also die
analytische Begriffsdefinition als eine semantische Operation auffassen, indem man die Begriffsmerkmale aufzählt, und dies muß immer
so sein bei subjektiven Begriffen. Oder aber man wickelt die analytische Begriffsdefinition bei objektiven Begriffen als eine ontische Explikation ab, indem man die Bestimmungen der Begriffsdesignate beschreibt. Die Inhalte sind bei beiden Definitionsarten gleich, nur die
Blickrichtungen sind verschieden.

Da die analytische Definition eines subjektiven Begriffes nicht mit
einer partialen Explikation von Seinsheiten zusammenfallen kann,
stellen solche Begriffsdefinitionen ein System falscher Aussagen dar.
Da es jedoch in der Wissenschaft um die Erzielung wahrer Aussagen
geht, sind die Definitionen subjektiver Begriffe (es kann sich übrigens
auch um synthetische Definitionen handeln) für den Wissenschaftler
außer für die Hypothesenbildung unfruchtbar. Betrachtet man allerdings die Geschichte der Wissenschaft, so stellt man fest, daß oft
subjektive Begriffe definiert wurden, während man glaubte, objektive
Begriffe zu definieren.

8.3.2. Die synthetische Begriffsdefinition

unterscheidet sich von der analytischen Begriffsdefinition nur dadurch, daß jetzt nicht ein bereits allgemein bekannter Begriff definiert wird, sondern daß das definierende Subjekt einem anderen Subjekt einen solchen Begriff vermittelt, den das definierende Subjekt durch empirische, apriorische oder deduktive Erkenntnis erstmalig gewonnen hat. Hierbei wird dann auch meist ein neues Wort eingeführt, das den neuen Begriff intendieren soll. Es sei darauf hingewiesen, daß die Unterscheidung zwischen analytischer und synthetischer Begriffsdefinition von dem definierenden Subjekt abhängig gemacht werden muß. Für das Subjekt, an das die Begriffsdefinition gerichtet ist, besteht dagegen kein Unterschied hinsichtlich des Analytisch- oder Synthetischseins der Definition, weil für dieses Subjekt beide Begriffe neu sind.

8.3.3. Bestandteile der Begriffsdefinition

Die Begriffsdefinitionen vollziehen sich in Aussagen, die den zu definierenden Begriff als Gegenstandsbegriff enthalten und ihm explizite diejenigen Merkmale zuordnen, die bereits implizite in ihm stecken. (So stecken in dem Begriff «Baum» die Merkmale «Grünheit», «Hölzernheit» usw., doch werden sie nicht ausdrücklich genannt. Dies tut nun die Definition, indem sie sagt, «Der Baum ist etwas, das grün, hölzern usw. ist».) Wir haben darauf hingewiesen (7.4.), daß analoge personale Begriffe unterschiedliche Inhalte, aber gleiche Umfänge haben. Dabei sind die analogen personalen Begriffe, die einen reicheren Inhalt haben, bei den Personen zu finden, die sich wissenschaftlich besonders mit den entsprechenden Designaten beschäftigen. Gerade hier ist das eigentliche Wirkungsfeld der Begriffsdefinitionen, wo die vollen Begriffsinhalte denjenigen vermittelt werden, die von dem Begriff bisher nur wenig wußten. Für den Definierenden enthält der definierte Begriff also implizite die Merkmale, die bei der Definition expliziert werden, während für denjenigen, an den sich die Definition richtet, ein derartiges Enthaltensein nicht gilt.

Ontologisch formuliert, zeigt die Definition objektiver Begriffe, welche essentiellen Bestimmungen den Seinsheiten, die Designate des definierten Begriffes sind, zukommen. Umgekehrt kann jede Aussage, welche die Zuordnung einer essentiellen Bestimmung zu einer Seinsheit aufweist, als eine definitorische Aussage aufgefaßt werden (im

Gegensatz zu denjenigen Aussagen, die akzidentelle Bestimmungen von Seinsheiten abbilden).

Der Begriff innerhalb einer definitorischen Aussage, der die Seinsheit oder Klasse der Seinsheiten intendiert, heißt Definiendum oder zu definierender Begriff; und der Begriff, der die Bestimmung der Seinsheit bezeichnet, heißt Definiens oder definierender Begriff. Zwischen das Definiendum und das Definiens tritt (im Satz) die Kopula oder dasjenige Bindeglied, das die Beziehung zwischen Definiendum und Definiens herstellt. (Etwa Definition: «Die Blume ist eine Pflanze, die Blüten treiben kann»; «Blume» = Definiendum, «Pflanze, die Blüten treiben kann» = Definiens, «ist» = Kopula im Satz, im Bewußtsein vertreten durch das Zugeordnetsein der Begriffe.)

Bei einer elementaren definitorischen Aussage intendiert das Definiens nur eine einzige Bestimmung. Eine vollständige Begriffsdefinition muß sich daher aus so vielen elementaren definitorischen Aussagen konstituieren, wie das Definiendum Merkmale hat.

8.3.4. Aristotelische Begriffsdefinition

Da es bei inhaltsreichen Begriffen außerordentlich langwierig wäre, alle Merkmale des zu definierenden Begriffes aufzuzählen, wurde bereits von Aristoteles eine besondere Definitionsweise entwickelt, die eine relativ kurze, aber trotzdem präzise Definition inhaltsreicher Begriffe gestattet. Diese Definitionsweise basiert auf der Einsicht, daß jeder Begriff, wenn man von gewissen ontologischen Grundbegriffen absieht, stets als Artbegriff fungieren kann. Wenn man nun zu einem vorgegebenen Begriff den nächsthöheren Gattungsbegriff angibt und diesen als bekannt voraussetzt (was höchstens ein relativer Definitionsfehler sein könnte, vgl. 8.4.1.), so braucht man zur Definition des Artbegriffes nur noch diejenigen Merkmale anzugeben, vermöge deren der Artbegriff vom Gattungsbegriff unterschieden ist. Diese aristotelische Begriffsdefinition ist genau dann vollständig, wenn die Aufzählung der arteigenen (spezifischen) Merkmale vollständig ist. Bei dieser Definitionsweise erspart man sich die Aufzählung all derjenigen Merkmale, die der Artbegriff mit dem Gattungsbegriff gemeinsam hat, und dies sind bei weitem die meisten Merkmale des Artbegriffes. (So ist bei der aristotelischen Begriffsdefinition «Die Blume ist eine Pflanze, die Blüten treiben kann» der Begriff «Pflanze» Gattungsbegriff, der durch das arteigene Merkmal des Blütentreibenkönnens erweitert wird.) Eine häufig angewandte inadäquate, aber zumeist ausreichende Definition liegt dann vor, wenn nicht alle, sondern nur die charakteristischen (relevanten) Merkmale des Artbegriffes aufgezählt werden. (Es sei hier darauf hingewiesen, daß die arteigenen Merkmale streng von den arteigenen Bestimmungen zu unterscheiden sind; Merkmale kommen den Begriffen zu, Bestimmungen den Designaten.)

Man braucht übrigens nicht unbedingt den *nächst*höheren Gattungsbegriff für die Definition eines Artbegriffes zu wählen, obwohl er am günstigsten ist, weil er noch die meisten Merkmale mit dem Artbegriff gemeinsam hat. Mit dem höchsten Gattungsbegriff («Seinsheit») erreicht man wieder die Begriffsdefinition, die ohne Gattungsbegriff arbeitet. (Etwa «Die Blume ist eine Seinsheit, die ...») Wenn heute gegen die aristotelische Begriffsdefinition polemisiert wird, so geschieht dies mit dem Hinweis auf die Tatsache, daß Begriffe, die Relate oder polyvalente Bestimmungen intendieren, dieser Definitionsweise nicht gehorchen. Man vergißt jedoch dabei, daß die Aufzählung der einzelnen Merkmale ebenso unzulänglich bleibt. Dies rührt daher, daß solche Begriffe stets zu anderen Begriffen in einem Abhängigkeitsverhältnis in der Weise stehen, daß der eine Begriff nicht sinnvoll ohne die anderen verstanden und deshalb auch nicht definiert werden kann. (So kann etwa der Begriff «Ehe», der eine polyvalente Bestimmung intendiert, nur sinnvoll in bezug auf die Begriffe «Ehemann» und «Ehefrau», welche die entsprechenden Relate intendieren, verstanden und definiert werden.) Dasselbe gilt mutatis mutandis auch für Begriffe, die sinnvolle konträre Gegenbegriffe haben. Sowohl bei der nichtaristotelischen als auch bei der aristotelischen Begriffsdefinition ist es deshalb nötig, daß man die anderen Begriffe, welche zu dem zu definierenden Begriff in semantischer Dependenz stehen, bei der Definition mit berücksichtigt. (Zum Beispiel «Die Ehe (definiendum) ist eine Lebensweise (Gattungsbegriff), die einem Mann und einer Frau (Erweiterung durch Hinweis auf die entsprechenden Relate) stets dann zukommt, wenn sie nach gesetzlicher Regelung zusammenleben» [arteigene Merkmale] usw.)

8.4.   Definitionsfehler

Da die Definition als solche wesenhaft eine Mitteilung ist, die das eine Subjekt an ein anderes richtet, um das andere Subjekt über die Bedeutung eines Bedeutungsgebildes (eines Zeichens, Wortes oder Begriffes) aufzuklären, muß die Definition so aufgebaut sein, daß sie hinreichenden Aufschluß über die Bedeutung des Bedeutungsgebildes gibt. Obwohl dies eine triviale Weisheit ist, treten so häufig Definitionsfehler auf, daß wir die wichtigsten davon hier kurz behandeln wollen.

Es gibt relative und absolute Definitionsfehler, die beide daraus resultieren, daß die Wörter oder die Begriffe, aus denen sich jede Definition konstituiert, inadäquat verwendet werden.

8.4.1. Relative Definitionsfehler

sind dann gegeben, wenn die Definitionen Wörter oder Begriffe enthalten, die dem Subjekt, an das die Definitionen gerichtet sind, nicht bekannt sind. Eine Definition muß demnach relativ auf das Wissensniveau des anderen Subjektes zugeschnitten sein. Dies ist prinzipiell dann unmöglich, wenn man sich mit einer Rede oder einer Abhandlung an mehrere Personen richtet, weil das Wissensniveau der einzelnen Personen nie völlig gleich ist. Doch besteht indes die Möglichkeit, die in Reden oder Texten gebrauchten Definitionen auf ein bestimmtes Wissensniveau abzustimmen, etwa indem man Fremdwörter meidet und schwer verständliche Begriffe durch Beispiele erläutert.

Es sei angemerkt, daß man diesen relativen Definitionsfehler, der in Relation zum Wissensniveau des Angesprochenen steht, mit dem lateinischen Terminus «ignotum per ignotum» bezeichnet, weil das eine Unbekannte (ignotum), was zu definieren ist, durch ein anderes Unbekanntes substituiert wird.

8.4.2. Absolute Definitionsfehler

sind nicht von dem Wissensniveau der Subjekte, an die sie gerichtet werden, abhängig, sondern wurzeln in der Definitionsweise als solcher, so daß selbst derjenige, der alle Wörter und Begriffe (außer dem Wort beziehungsweise Begriff für das zu definierende Bedeutungsgebilde), die in der Definition vorkommen, kennen würde, doch nicht dadurch erfahren würde, was man unter dem ihm unbekannten Bedeutungsgebilde versteht.

Es gibt zwei Arten absoluter Definitionsfehler, nämlich den definitorischen Zirkel (circulus vitiosus) und die unvollständige Definition. Der definitorische Zirkel liegt dann vor, wenn das Wort beziehungsweise der Begriff des zu definierenden Bedeutungsgebildes in der Definition mehrmals enthalten ist. Dabei ist bei der Begriffsdefinition der definitorische Zirkel dann gegeben, wenn das Definiendum im Definiens nochmals enthalten ist (So «Die Blume ist eine blumige Pflanze».). Dagegen liegt bei der Definition eines eindeutigen Wortes (vom Typus: Das Wort x intendiert den Begriff x) kein definitorischer Zirkel vor, weil die Wortdefinition mit der Begriffsdefinition nichts zu tun hat, obwohl sich letztere an die Wortdefinition anschließen kann. – Die unvollständige Definition ist dann gegeben, wenn aus der Definition nicht alle Bedeutungen des zu definierenden Zeichens oder nicht alle Merkmale des zu definierenden Begriffes hervorgehen. Unvollständige Begriffsdefinitionen sind wahre Aussagen, obwohl es hier freilich auch falsche Aussagen gibt. (So ist die Definition «Ein Pferd ist ein Tier mit zwei Hinterbeinen» sehr unvollständig, aber trotzdem wahr). Nichtsprachliche Zeichen werden meist vollständig definiert, Wörter schon seltener. Bei Begriffen dagegen wird man in den wenigsten Fällen vollständige Definitionen antreffen können, weil es außerordentlich schwierig ist, alle Begriffsmerkmale aufzuzählen, wobei die Relativität des menschlichen Erkenntnisvermögens das ihrige dazutut, denn relativierte Erkenntnisse sind die Quelle unpräziser (oder gar subjektiver) Begriffe, die vollständig zu definieren unmöglich ist. Viele Begriffe sind außerdem so komplex, daß deren vollständige Definitionen umfangreiche Bücher ausfüllen könnten.

9. DER SATZ

9.1. Das Wort «Satz»

kann in außerordentlich verschiedenen Bedeutungen verwandt werden. In unserer Abhandlung jedoch wird das Wort «Satz» ausschließlich als semantisches Fachwort verwandt und intendiert somit hier allein denjenigen Begriff, der als Designate diejenigen sprachlichen Gebilde hat, die ihrerseits Aussagen intendieren. Für dieses Wort «Satz» können u. a. die Wörter «Redeeinheit» und «Aussagenzeichen» substituiert werden; doch wollen wir hier zur Vermeidung von Irrtümern diese anderen Wörter nicht gebrauchen.

In seinen anderen Bedeutungen kann das Wort «Satz» die Begriffe «Lehrstück», «aus Lettern gebildeter Text», «Teil eines Instrumentalstückes», «Garnitur», «Niederschlag», «Tarif», «Kaninchenwurf» und «eingesetzte Fischbrut» intendieren – Begriffe also, die einander völlig disparat sind und auch mit dem semantischen Begriff «Satz» nichts gemein haben.

9.2. Das Wesen des Satzes

9.2.1. Worthaltige und wortlose Sätze

Wir definierten den Satz (5.4.) als dasjenige sich aus Wörtern konstituierende Bedeutungsgebilde, das eine oder mehrere Aussagen intendiert. Dabei gehört zum innersten Wesen des Satzes diejenige ontische Beschaffenheit desselben, vermöge deren er Aussagen intendiert, eine Beschaffenheit, welche wir als die Bedeutung des Satzes bezeichnen. Während ein Satz stets mindestens eine Bedeutung aufweisen muß, kraft deren er mindestens eine Aussage als Designat hat, gehört es andererseits nicht zum innersten Wesen eines Satzes, aus Wörtern konstituiert zu sein, weil ein Satz auch dann Aussagen intendieren kann, wenn er nicht aus Wörtern besteht.

In einer wissenschaftlichen Abhandlung sowie auch in der Umgangssprache werden wir zumeist nur solche Sätze finden, die sich aus Wörtern konstituieren, wobei solche worthaltigen Sätze im einfachsten Fall aus mindestens zwei Wörtern bestehen, welche jeweils den Gegenstandsbegriff beziehungsweise den Bestimmungsbegriff der von dem Satz als ganzem intendierten Aussage intendieren. Grenzfälle worthaltiger Sätze sind dann gegeben, wenn sich Sätze jeweils nur aus einem einzigen Wort konstituieren. Diese Sätze sind semantisch ergänzungsbedürftig und können deshalb nur in der pragmatisch orientierten Umgangssprache oder in der Schriftsprache bei geeignetem sprachlichem Kontext adäquat verstanden werden. Es handelt sich dabei entweder um situationsbedingte verkürzte Sätze (etwa «Schnell» = «Wir müssen uns beeilen») oder um kontextabhängige Sätze im Rahmen einer Darstellung bestimmter Situationen (etwa im Roman: Der Zug kam, und er sagte «Schnell»).

Weil wir fast immer worthaltige Sätze bilden, rechnen wir das Konstituiertsein aus Wörtern nicht zu den akzidentellen, sondern zu den essentiellen Eigenschaften von Sätzen, obwohl dieses Vorgehen nicht ganz genau ist. Wortlose Sätze treten indes in historisch gewachsenen Sprachen fast gar nicht auf; wir kennen sie deshalb hauptsächlich von logistischen Darstellungen her, wo bestimmte Symbole für worthaltige Sätze eintreten. Dieses Verfahren ist zwar für die Logistik sehr vorteilhaft, weil dadurch die logischen Zusammenhänge übersichtlich dargestellt werden, doch wäre es in keiner Weise empfehlenswert, Kunstsprachen zu bilden, deren Sätze nur wortloser Natur sind. Denn ein wortloser Satz (etwa «A» für «Ich fahre heute») ermangelt erstens einer inneren Gliederung, und zweitens ist er sprachlich unökonomisch. Jede Aussage ist in Begriffe gegliedert, und es ist deshalb nur natürlich, wenn der entsprechende Satz in Wörter gegliedert ist, welche mit den Begriffen korrelieren. Ist eine solche Gliederung bei dem Satz nicht gegeben, so ist dessen Sinn wesentlich schwerer zu erfassen, wie wir schon von der idiomatischen Wendung her wissen, deren Wortgliederung mit der Begriffsgliederung der entsprechenden Aussage nur teilweise übereinstimmt.

Die sprachliche Disökonomie wortloser Sätze resultiert daraus, daß gleiche Begriffe in verschiedenen, wenn auch sinnverwandten Aussagen nicht wie bei worthaltigen Sätzen durch gleiche Wörter ausgedrückt werden, wodurch bei wortlosen Sätzen zumindest in *der* Form wie wir sie von der Logistik her kennen, keine semantischen Vergleiche möglich sind. (Würde man etwa die zwei worthaltigen Sätze «Ich fahre heute» und «Ich fahre morgen» durch die wortlosen Sätze «A» und «B» ersetzen, so könnte man diesen zwei Sätzen nicht mehr ansehen, daß sie in inhaltlicher Verwandtschaft zueinander stehen, weil hier die Wörter fehlen, welche als semantische Vergleichspunkte dienen könnten.) Wären wortlose Sätze übrigens innerlich gegliedert, so würden sie wieder zu worthaltigen Sätzen werden.

9.2.2. Wort und Satz

Von den worthaltigen Sätzen – und wir wollen im folgenden nur solche Sätze betrachten – gilt vielfach das, was wir über die Wörter sagten, denn Wort und Satz sind beide materielle sprachliche Zeichen und sind deshalb wesenhaft nur im Hinblick auf die Art ihrer Designate, welche sie intendieren, unterschieden.

So kann denn auch der Satz wie das Wort als Laut- oder Schriftgebilde auftreten, je nachdem, ob der Satz gesprochen oder geschrieben wird. Auch nennen wir den Satzvermittler wie beim Wort Sprecher oder Schreiber, und der Satzempfänger heißt analog dazu Hörer oder Leser. Es sei darauf hingewiesen, daß im allgemeinen nicht isolierte Wörter mitgeteilt werden, sondern Wörter als Glieder von Sätzen. Selbst dann, wenn einzelne Wörter mitgeteilt werden, sind sie als Sätze gemeint und müssen auch als solche aufgefaßt werden. Von den Sätzen, welche mithin die eigentlichen sprachlichen Bedeutungsgebilde darstellen, die mitgeteilt werden, kennen wir in der Grammatik mehrere Arten, nämlich Aussagesätze, Fragesätze und Absichtssätze (Befehlssätze, Wunschsätze), wobei für unsere Abhandlung allerdings nur die Aussagesätze in Betracht kommen.

Obwohl die Wörter eines Satzes aufeinander bezogen sind, sind sie doch im allgemeinen merklich voneinander getrennt. Bei jeder Sprache besteht die Möglichkeit, im Sprechakt die Wörter eines Satzes lautlich zu verbinden, besonders beim schnellen Sprechen, wenn auf einen Konsonanten ein Vokal folgt oder umgekehrt.

Wenn es einerseits auch wegen besserer Verstehbarkeit von Vorteil ist, daß die Wörter im Satz voneinander getrennt sind, so ist es doch andererseits notwendig, daß die Wörter im Satz semantisch aufeinander bezogen sind, weil nur durch die Wortbezogenheiten aus einer bloßen Wörteraneinanderreihung ein Satz werden kann. Dabei werden Wortbezogenheiten hauptsächlich durch die Wortstellung und die Bildungssilben hergestellt. Die Wortstellungen gehören in vielen Sprachen zum Wesen der Sätze und können nicht verändert werden, ohne daß sich dadurch der Sinn des Satzes ändert. (Vgl.: «The dog sees the cat» – «The cat sees the dog» –. Der erste Satz hat eine andere Bedeutung als der zweite.)

Bei den Bildungssilben unterscheiden wir zwei Arten, nämlich erstens solche, welche nicht mit den Wörtern, die aufeinander bezogen werden sollen, verbunden sind (etwa «*of* the dog»), und zweitens solche, die den betreffenden Wörtern in irgendeiner Weise anhaften (etwa als Suffixe: «geh*t*», als Präfixe: «*ge*hört», als Infixe: «fl*o*g» usw.) Die Darstellung und Beschreibung der Bildungssilben einer Sprache ist ein wesentlicher Forschungsbereich der Grammatik. Wenn Bildungssilben mit Wörtern verbunden sind, so sprechen wir von flektierten Wörtern, die wir in konjugierbare und deklinierbare Wörter klassifizieren. Konjugierbar sind die Verben, deklinierbar sind die Substantive, Adjektive usw. Die Wortstellung steht zu der Wortveränderung durch Bildungssilben meist in einer bestimmten Relation, und zwar gilt im allgemeinen, daß die Wortstellung um so variabler ist, je häufiger die Wörter durch Bildungssilben verändert werden und umgekehrt. Deshalb können bei stark flektierten Sprachen (etwa Deutsch) die Wortstellungen stilistisch freier gehandhabt werden.

Neben den Wörtern als solchen gehören die Wortbezogenheiten durch Wortstellung und Bildungssilben zu den essentiellen und deshalb semaphorischen Eigenschaften eines Satzes. Demgegenüber zählen zu den akzidentellen und deshalb semantisch bedeutungslosen Eigenschaften variable Formen der Aussprache und Schreibweise. (So wird die Bedeutung eines Satzes durch dialektale Aussprache, oder was die Schreibweise anlangt, durch bestimmte Schriftarten, meist nicht beeinflußt.) Es sei hier darauf hingewiesen, daß wir im Deutschen die semaphorische Beschaffenheit eines Satzes gern Sinn nennen und das Wort «Bedeutung» für den Begriff der semaphorischen Beschaffenheit eines Wortes reservieren; doch schwankt der Gebrauch, so daß wir hier das Wort «Bedeutung» für Wort *und* Satz sprachadäquat verwenden können.

Wenn ein bestimmter Wortschatz vorhanden ist und die Wortbeziehungsregeln bekannt sind, lassen sich Sätze in der betreffenden Sprache bilden. Die Wortbeziehungsregeln sind konventioneller Natur, auch wenn sie nicht planmäßig konstruiert wurden, und müssen deshalb demjenigen, der sie nicht kennt, vermittelt werden (im Grammatikunterricht). Selbst wenn wir eine Fremdsprache nur oberflächlich beherrschen, kennen wir deren Satzbildungsregeln (deren Grammatik) oft besser als die unsrer Muttersprache. Dies rührt daher, daß wir die Muttersprache ohne Bewußtsein ihrer Gesetzlichkeiten lernen, während wir bei einer Fremdsprache mit Vorteil umgekehrt vorgehen. Es ist jedoch unbedingt ratsam, sich die allgemeinen Satzbildungsregeln und Wortbeziehungsregeln der Muttersprache ins

Bewußtsein zu heben, weil dadurch hermeneutische Schwierigkeiten bei der Auslegung eines Textes behoben werden können.

Sätze werden stets dann gebildet, wenn Aussagen (Erkenntnisse) vermittelt werden sollen. Bevor der Satz gebildet werden kann, müssen diejenigen Wörter parat sein, welche die Begriffe intendieren, die Teil der zu vermittelnden Aussage sind. Nach Bildungsregeln der entsprechenden Sprache werden dann die einzelnen Wörter lautlich oder schriftlich zu einem Satz angeordnet. Erst mit der Äußerung des letzten Wortes ist entschieden, ob die verlautete Wortfolge ein Satz ist oder nicht.

9.2.3. Satz und Rede (Text)

Ebenso wie Wörter meist nur als Teile von Sätzen geäußert werden, so treten Sätze auch meist nur als Teile einer Rede oder eines Textes auf. Denn im allgemeinen sind die zu vermittelnden Erkenntnisse (nämlich die Aussagen) so komplex, daß sie nur durch mehrere Sätze mitgeteilt werden können. Dabei können einzelne (komplexe) Sätze selbst wieder aus mehreren Teilsätzen (hypotaktischer und parataktischer Art) bestehen, oder einzelne (getrennte) Sätze werden durch entsprechende Verknüpfungspartikeln (Konjunktionen) semantisch miteinander verbunden; dabei könnten diese getrennten Sätze auch als ein einziger komplexer Satz geschrieben werden. Alle diesbezüglichen Gesetzlichkeiten gehören jedoch bereits zur höheren Semantik.

9.3. Satzteile und Wortarten

In der traditionellen Grammatik unterscheiden wir Satzteile (etwa Subjekt, Prädikat, Attribut) von Wortarten (etwa Verb, Substantiv, Adjektiv). Diese zwei Klassifikationen sind für die allgemeine Semantik insofern uninteressant, als den Klassifikationen zwei verschiedene Einteilungsgründe, nämlich Form und Funktion zugrunde liegen. (So bilden die Verben deshalb eine Wortart, weil sie einerseits (im Hinblick auf die Form) konjugiert werden können, und andererseits (im Hinblick auf ihre Funktion) solche Begriffe als Designate haben, welche Bestimmungen als Teile von Zustands- oder Vorgangssachverhalten intendieren.) Dadurch nämlich, daß die Form als Einteilungsgrund dient, sind die Klassifikationen nur jeweils auf bestimmte Sprachen zutreffend, denn die einzelnen Sprachen sind formmäßig oft sehr verschieden. Außerdem sind die Relationen zwischen Form und Funktion bei den Satzteilen und Wortarten in historisch gewachsenen Sprachen vielfach dergestalt, daß verschiedene Funktionen von gleichartigen Satzteilen oder Wortarten erfüllt werden können, beziehungsweise daß umgekehrt die gleiche Funktion von verschiedenen Satzteilen oder Wortarten verrichtet werden kann. (So intendiert ein Substantiv sowohl Gegenstandsbegriffe als auch Bestimmungsbegriffe; andererseits können etwa Bestimmungsbegriffe nicht nur von Substantiven, sondern auch von Adjektiven intendiert werden.) Unsere allgemeine Semantik kann wegen der genannten Gründe die Wörter beziehungsweise die Satzteile nur hinsichtlich ihrer möglichen Funktionen klassifizieren, während es den Grammatiken der einzelnen Sprachen überlassen bleiben muß, zu untersuchen, welche Formstrukturen mit den funktional klassifizierten Wortarten und Satzteilen korrelieren.

Die funktionale Unterschiedenheit der Satzteile und Wörter rührt von der Artverschiedenheit der intendierten Begriffe her. Da sich die Seinsheitbegriffe in Gegenstands- und Bestimmungsbegriffe aufteilen, ist die allgemeinste Klassifikation der Wörter die Dichotomie (Zweiteilung) nach Gegenstandsbegriffswörtern und Bestimmungsbegriffswörtern. Für die Satzteile gilt dasselbe. Unter Satzteilen verstehen wir einzelne Wörter oder Wortgruppen, sofern sie in Sätzen auftreten. Dagegen müssen Wörter nicht unbedingt in Sätzen auftreten und können deshalb auch isoliert betrachtet werden, wobei es indes oft unentschieden bleibt, ob sie Gegenstands- oder Bestimmungsbegriffe intendieren. Hinsichtlich der Komplexität der von den Aussagen intendierten Sachverhalte lassen sich nicht nur bei den Begriffen, sondern auch bei den entsprechenden Wörtern oder Satzteilen weitere dichotomische Differenzierungen vornehmen. (So ist in dem Satz «Das Pferd galoppiert schnell» sowohl das Wort «galoppiert« als auch das Wort «schnell» ein Bestimmungsbegriffswort. Dabei ist jedoch das Wort «galoppiert» auf den Satzteil «Das Pferd» bezogen und das Wort «schnell» ist auf das Wort «galoppiert» bezogen. Deshalb lassen sich diese zwei Bestimmungsbegriffswörter in diesem Satz als Verb und Adverb unterscheiden.)

9.4.   Semasiologische Besonderheiten

Wie bei den Wörtern treten auch bei den Sätzen Eindeutigkeiten, Mehrdeutigkeiten und Undeutlichkeiten auf. Ein Satz ist dann ein deutig, wenn er eine Aussage intendiert, und dann mehrdeutig, wenn er mehrere Aussagen als Designate hat. Ein undeutlicher Satz dagegen intendiert entweder gar keine Aussage, oder es ist nicht genau zu entscheiden, welchen Sinn er hat. Selbst dann, wenn Sätze mehrdeutige Wörter enthalten, sind sie oft allein durch die Wortbeziehungen insgesamt eindeutig. (So ist der Satz «Er gewann den ersten Satz im Tennis» eindeutig, obwohl er das vieldeutige Wort «Satz» enthält.) Die Eindeutigkeit ist im allgemeinen aber nur dann gewährleistet, wenn der Satz als Designat eine analytische Aussage hat oder wenn das in dem Satz vorkommende mehrdeutige Wort mit einem Wort desselben Satzes in einer solchen Beziehung steht, daß die entsprechenden Begriffe der beiden Wörtern in semantischer Dependenz zueinander stehen oder auch bloß sinnverwandt sind. (So steht der Begriff «Satz = Spielabschnitt» zu dem Begriff «Tennis» in inhaltlicher Dependenz.) Bei solchen Wortverbindungen sprechen wir auch von Sinnkoppelungen. Auch wenn die Designate der entsprechenden Begriffe solcher gekoppelter Wörter zueinander stehen wie Gegenstand und Bestimmung, so ist doch die Bestimmung nicht unbedingt die essentiellste, sondern bloß die charakteristischste des entsprechenden Gegenstandes. (So ist das Wort «bellen» mit dem Wort «Hund» semantisch gekoppelt. Doch ist das Bellen als eine Tätigkeit des Hundes nicht seine essentiellste Bestimmung, sondern bloß seine charakteristischste. Zu den essentiellsten Bestimmungen des Hundes dagegen würden das Lebendigsein, das Raubtiersein usw. gehören, welche als notwendige Bedingungen der Bestimmung des Bellens vorgeordnet sind.) Die charakteristischen Bestimmungen sind eine Art der essentiellen Bestimmungen, die zwar meist nicht das Seinsfundament der durch sie bestimmten Seinsheiten ausmachen, aber insofern kennzeichnend und auffällig sind, als sie überhaupt nur allein diesen und keinen anderen Seinsheiten zukommen.

Die Gesamtheit der semantisch verbundenen Wortgruppen bilden die Phraseologie einer Sprache. Selbst dann, wenn solche Phrasen oder Redewendungen undeutlich gesprochen oder geschrieben werden, besteht doch die Möglichkeit einer adäquaten Sinnerfassung, weil ungenau gehörte und deshalb auch inadäquat erfaßte Wörter solcher Redewendungen wegen der Trivialität derselben leicht von dem Hörer ergänzt werden können.

Neben der inadäquaten Schreibweise oder Aussprache sind der inadäquate Wortgebrauch sowie die inadäquate Anwendung der Satzbildungsregeln die wesentlichen Gründe der Undeutlichkeit von Sätzen. Auch wenn dem Leser die sprachadäquaten Bedeutungen der in einem bestimmten Satz verwandten Wörter bekannt sind, und auch selbst dann, wenn die Wörter deutlich geschrieben sind, kann er wegen der Künstlichkeit sprachlicher Zeichen den Sinn dieses Satzes nicht erfassen, wenn der Schreiber die Wörter inadäquat gebrauchte und die Satzbildungsregeln mißachtete (vgl. 3.7.3.).

Wegen der Sinnkoppelungen sind Mehrdeutigkeiten bei Sätzen seltener als bei Wörtern. Wenn Sätze mehrdeutig sind, so intendieren sie meist sinnverwandte Aussagen und nur sehr selten gänzlich bedeutungsverschiedene Aussagen.

9.5.   Onomasiologische Besonderheiten

Bei den Sätzen können wir wie bei den Wörtern eine Unterscheidung treffen zwischen personalen und überpersonalen Sätzen. Jeder Satz, der ausgesprochen wird, ist personaler Natur, weil er von einer Person artikuliert wird. Abgesehen von der Umgangssprache, spielen personale Sätze in der Wissenschaft bei Zitaten eine Rolle. Sätze, die eine gleichartige Struktur haben, auch wenn sie von verschiedenen Personen oder von einer Person zu verschiedenen Zeiten ausgesprochen werden, faßt man als einen einzigen überpersonalen Satz zusammen, indem man von der personalen Relativität abstrahiert.

Personale Sätze, welche sich zu einem überpersonalen Satz zusammenfassen lassen, sind immer bedeutungsgleich. Bedeutungsgleich können jedoch auch überpersonale Sätze sein, die aber verschiedenartig strukturiert sein müssen. Bedeutungsgleiche überpersonale Sätze sind wesentlich häufiger als bedeutungsgleiche Wörter, weil Sätze komplizierter als Wörter sind und deshalb mehr Spielraum zu strukturellen Modifikationen lassen. Zu einem vorgegebenen Satz können nämlich weitere bedeutungsgleiche Sätze nicht nur dadurch gebildet werden, indem man für bestimmte Wörter des vorgegebenen Satzes bedeutungsgleiche, aber strukturell verschiedene Wörter substituiert (etwa «Ich reise am Samstag» = «Ich fahre am Sonnabend weg»), sondern auch dadurch, indem man bei der Satzbildung (etwa bei der Wortstellung) Veränderungen vornimmt. Obwohl die Substitutionen sinngleicher Wörter sowie die Modifikationen in der Wortfolge eine Rede oder einen Text stilistisch wesentlich verbessern können, ist es in einer exakten wissenschaftlichen Abhandlung ratsam, von diesen Satzveränderungen abzusehen, denn oft werden nur sinnverwandte, nicht sinngleiche Wörter substituiert, was ebenso wie die Wortumstellungen zu Bedeutungsveränderungen des neu gebildeten Satzes in Relation zu dem ursprünglichen Satz führen kann.

10.   DIE AUSSAGE

10.1.   Das Wort «Aussage»

In unserer Abhandlung intendiert das Wort «Aussage» den Begriff desjenigen sich aus Begriffen konstituierenden Bedeutungsgebildes, das als Designate Sachverhalte hat. Im allgemeinen Sprachgebrauch dagegen wird das Wort «Aussage» nicht in dieser Bedeutung verwandt, weil man für unser Wort «Aussage» das Wort «Satz» gebraucht, wodurch das Wort «Satz» in der Umgangssprache zwei gänzlich verschiedene Bedeutungen hat, insofern es den Begriff des materiellen Satzes und den Begriff der geistigen Aussage intendiert. Um diese Äquivokation (Zweideutigkeit) zu vermeiden, haben wir deshalb das Wort «Aussage» in seiner neuen Bedeutung eingeführt. (Übrigens sei bemerkt, daß man in deutschsprachigen Logikbüchern heutzutage durchgehend das Wort «Aussage» in unserem Sinne verwendet, während man noch in Logikbüchern älteren Datums das Wort «Urteil» vorzog. Als weitere Wörter können für das Wort «Aussage» u. a. die Wörter «Behauptung» (Assertion), «mitgeteilter Gedanke» und «mitgeteilte Erkenntnis» eintreten.)

Die Begriffe, welche im üblichen Sprachgebrauch von dem Wort «Aussage» intendiert werden können, heißen in eindeutiger Formulierung: «Akt der Mitteilung» («Er macht eine Aussage»), «Gehalt» («Das Bild sagt etwas aus») und «Erklärung vor Gericht» («Zeugenaussage»).

10.2.   Das Wesen der Aussage

10.2.1.   Aussage als mitgeteilte Erkenntnis

Erkenntnisse sind Bewußtseinsinhalte, welche Sachverhalte repräsentieren. Als Bewußtseinsinhalte sind Erkenntnisse jedoch von dem einen erkennenden Subjekt an ein anderes verstehendes Subjekt nicht direkt übertragbar, weil zwischen dem mitteilenden und dem empfangenden Subjekt Materie ist, welche die direkte Übertragung behindert. (Direkte Übertragung wäre Telepathie.) Die indirekte Übertragung erfolgt durch materielle Zeichen. Die materiellen Zeichen, welche zur Mitteilung von Erkenntnissen dienen, sind im allgemeinen Sätze. Diejenige Erkenntnis, welche indirekt durch einen Satz mitgeteilt wird, nennen wir Aussage. Für den die Aussage mitteilenden Sprecher oder Schreiber sind die Aussage und die entsprechende Erkenntnis inhaltlich identisch, auch wenn sie, rein ontisch gesehen, verschieden sind, weil die Aussage auf die Mitteilung und die entsprechende Erkenntnis auf den Erkenntnisakt bezogen sind. Für den verstehenden Hörer oder Leser kann sich jedoch die Aussage, die er empfängt, von der Erkenntnis, die der Sprecher oder Schreiber mitteilen wollte, stark unterscheiden, was auf die Inadäquatheit der indirekten Aussagenmitteilung durch den Satz zurückzuführen ist.

10.2.2. Bedeutung und Intention der Aussage

Die Aussage ist Bewußtseinsgebilde und Bedeutungsgebilde gleichermaßen. Deshalb lassen sich bei der Aussage rein ontische Eigenschaften von den semaphorischen Eigenschaften abheben. (Ob eine Aussage etwa heute oder morgen von einem Subjekt geäußert wird, braucht den Inhalt der Aussage nicht verändern; deshalb liegt hier zum Beispiel eine rein ontische Eigenschaft der Aussage vor.) Die semaphorische Beschaffenheit einer Aussage nennen wir deren Bedeutung. Die Bedeutung einer Aussage ist diejenige Beschaffenheit derselben, vermöge deren Sachverhalte repräsentiert werden. Eine Aussage muß deshalb semaphorisch so beschaffen sein, daß sie zu dem repräsentierten Sachverhalt in dem Verhältnis einer inhaltlichen Ähnlichkeit steht. Die Aussage ist das Abbild und der repräsentierte Sachverhalt das Urbild. Die inhaltliche Ähnlichkeit des Abbildes zum Urbild muß keine ontische Ähnlichkeit sein. Die bewußtseinsimmanente Aussage ist denn auch meistens von den zumeist bewußtseinstranszendenten Sachverhalten, welche repräsentiert werden, ontisch verschieden.

Die Bedeutung einer Aussage können wir auch ihren Inhalt nennen, dem ein bestimmter Umfang an Designaten entspricht. Unter den Designaten einer Aussage verstehen wir die repräsentierten Sachverhalte. Da Aussagen jedoch (besonders in den nomothetischen Wissenschaften) eine große Anzahl an Designaten haben, ist es für den Erkenntnismitteilenden sowie auch für den Aussagenerfahrenden unmöglich, alle diejenigen Sachverhalte gedanklich zu reproduzieren, welche zum Inhalt der Aussage passen würden, ganz abgesehen davon, daß den Subjekten die einzelnen Sachverhalte meist gar nicht alle bekannt sind, so daß ein Subjekt im allgemeinen bei einer Allgemeinaussage entweder nur an einen bestimmten Sachverhalt denkt, der für die Menge der zutreffenden Sachverhalte repräsentativ ist, oder daß es nur ein allgemeines Gedankengebilde, nämlich die Allgemeinaussage im Bewußtsein hat, die zwar zu allen Sachverhalten passen würde, aber keinen einzelnen besonders meint. Die Aussagenintention haben wir also ebenso wie die Begriffsintention als *mögliche* Intention (vgl. zu 7.3.2.) verstehen, welche nicht nur die wirklichen, sondern auch die möglicherweise realisierbaren Sachverhaltsrepräsentationen umfaßt. Dabei können Sachverhaltsrepräsentationen bei dem Erkenntnismitteilenden in größerem Umfange realisiert werden als bei dem Aussagenerfahrenden, weil sich der Erkenntnismitteilende (oder Lehrende) intensiver mit der entsprechenden Sachverhaltsklasse befaßt hat als der Aussagenerfahrende (oder Lernende).

10.2.3. Aussage und Begriff

Aussagen konstituieren sich aus Begriffen. Eine Aussage, die einen attributiven Sachverhalt intendiert, setzt sich im einfachsten Fall aus einem Gegenstandsbegriff und einem Bestimmungsbegriff zusammen. (So «Das Pferd trabt»; «Pferd» = Gegenstandsbegriff, «trabt» = Bestimmungsbegriff.) Eine Aussage, die einen relationalen Sachverhalt intendiert, setzt sich im einfachsten Fall aus zwei Gegenstandsbegriffen und einem Bestimmungsbegriff zusammen. (So «Der Reiter sieht das Pferd»; «Reiter» und «Pferd» = Gegenstandsbegriffe [Referensbegriff und Relatbegriff], «sieht» = [zweiwertiger] Bestimmungsbegriff.) Eine Aussage, die einen attributiven Sachverhalt oder eine Klasse attributiver Sachverhalte intendiert, wollen wir im folgenden kurz Attributionsaussage nennen, während wir eine Aussage, die einen relationalen Sachverhalt oder eine Klasse relationaler Sachverhalte intendiert, im folgenden kurz Relationsaussage bezeichnen wollen.

In welcher Weise die Begriffe, welche Aussagen konstituieren, miteinander verbunden sind, läßt sich nicht ausmachen, weil Bewußtseinsinhalte nicht in gleicher Weise zum Erkenntnisobjekt gemacht werden können wie bewußtseinstranszendente Sachverhalte. Die Bezogenheit der Begriffe in einer Aussage zueinander dürfte indes eine ähnliche sein wie die Bezogenheit der Seinsheiten in einem Sachverhalt zueinander, weil die Aussagen als Abbilder den Sachverhalten als Urbildern ähneln.

Das Schwergewicht einer Aussage liegt auf dem Bestimmungsbegriff, den sie enthält, weil alle Merkmale eines Bestimmungsbegriffes innerhalb einer Aussage expliziter Natur sich, während die Merkmale des Gegenstandsbegriffes (oder der Gegenstandsbegriffe) nur insoweit expliziter Natur sind, als sich diese mit den Bestimmungsbegriffsmerkmalen decken. Hieraus resultiert auch der große Formenreichtum des Verbes, weil diesem im Satz insofern die Hauptfunktion zukommt, als es in den meisten Fällen den Bestimmungsbegriff intendiert. Designatorisch formuliert, liegt das Schwergewicht einer Aussage insofern auf dem Bestimmungsbegriff, als man, während die Aussage im Bewußtsein ist, sich nur diejenigen Bestimmungen der von dem entsprechenden Gegenstandsbegriff intendierten Seinsheiten vergegenwärtigt, die von dem entsprechenden Bestimmungsbegriff repräsentiert werden. (So denkt man bei der Aussage «Menschen denken» nur an die Denkfähigkeit der Menschen, während alle anderen Bestimmungen, die den Menschen sonst noch zukommen können, etwa die Sprechfähigkeit, während dieser Aussage nicht gedanklich realisiert werden. Deshalb sind alle Merkmale des Gegenstandsbegriffes «Menschen», welche sich nicht mit den Merkmalen des Bestimmungsbegriffes «denken» decken, in dieser Aussage impliziter Natur.)

10.3.   Eindeutigkeit, Bedeutungsgleichheit und Undeutlichkeit

Wie bei Begriffen und bei Wort und Satz, so können wir auch bei Aussagen personale Aussagen von überpersonalen Aussagen unterscheiden. Jede Aussage ist an sich insofern personaler Art, als sie nur als Bewußtseinsgebilde eines Subjektes figurieren kann. Wie wir bereits in bezug auf Begriffe hinwiesen (7.4.), bleibt demgegenüber auch bei Aussagen die Möglichkeit der Existenz bewußtseinstranszendenter Aussagen im Sinne der platonischen Ideenlehre unberührt, obwohl solche bewußtseinstranszendenten Aussagen offenbar unauffindbar sind und deshalb auch nicht in unserer Abhandlung berücksichtigt werden können, so daß von uns nur die bewußtseinsimmanenten Aussagen behandelt werden.

Solche personalen Aussagen, zwischen denen eine Bedeutungsgleichheit vorliegt, auch wenn diese personalen Aussagen ontisch insofern verschieden sind, als sie als Bewußtseinsinhalte verschiedener Subjekte oder als Bewußtseinsinhalte eines Subjektes zu ver-

schiedenen Zeiten auftreten, lassen sich, indem man von der Bezogenheit derselben auf die einzelnen Subjekte (Personen) abstrahiert,
als eine einzige Aussage überpersonaler Art zusammenfassen, welche
freilich, rein ontisch gesehen, selbst wieder als Bewußtseinsinhalt bei
den einzelnen Subjekten figuriert, obwohl man daran nicht denkt.
Selbst wenn man bei Wörtern und Sätzen von der personalen (räum-
lichen) Bezogenheit absieht und entsprechende überpersonale Wörter
oder Sätze bildet, lassen sich bei diesen überpersonalen Wörtern und
Sätzen noch Bedeutungsgleichheiten nachweisen, wenn die strukturellen Verschiedenheiten (etwa «Samstag» – «Sonnabend») zu groß
sind, obwohl zwei im weiteren Sinne strukturell als gleich bezeichnete
Wörter (etwa «Samstag» – «Samstag») oder Sätze bei einer genaueren
(atomaren) Untersuchung nicht mehr als strukturell völlig gleich
bezeichnet werden könnten. Doch was die Begriffe und Aussagen
anlangt, so lassen sich bei diesen, selbst wenn sie nicht bedeutungsgleich sind, keine strukturellen Gleichheiten oder Verschiedenheiten
nachweisen, weil wir deren Strukturen gar nicht kennen. So mögen
wir beispielsweise annehmen, daß Begriffe und Aussagen im Gehirn
zu finden sind, ohne auch nur in einem einzigen Fall angeben zu können, welche zerebrale Formation einem bestimmten Begriff oder
einer bestimmten Aussage entspricht. Und solange wir dies nicht vermögen, können wir auch nicht bei überpersonalen Begriffen und Aussagen Bedeutungsgleichheiten aufgrund struktureller Verschiedenheiten wie bei Wörtern und Sätzen konstatieren. (Übrigens ist es für
die Aussagenmitteilung geradezu vorteilhaft, wenn wir nicht um deren
strukturelle Beschaffenheit im ontischen Sinne wissen, weil man ein
flüssiges Gespräch nur dann führen und eine Abhandlung nur dann
unkompliziert schreiben kann, wenn man bei bedeutungsgleichen
Aussagen von deren personaler *und* struktureller Verschiedenheit abstrahiert. Wollte man nämlich etwa von der Aussage, daß alle Menschen sterblich sind, behaupten, daß diese wahr sei, so bedürfte es
strenggenommen des Hinweises auf den Sprecher, das heißt man
müßte sagen: «Die Aussage «Alle Menschen sind sterblich,» welche
ich gerade in meinem Bewußtsein habe, ist wahr». Die Abhängig-
machung der Aussagen von dem jeweiligen Sprecher wäre jedoch zu
umständlich, zumal wenn andere mit dem Sprecher ihre bedeutungsgleichen Aussagen teilen. Deshalb faßt man im allgemeinen die
Klasse der bedeutungsgleichen Aussagen zu einer überpersonalen
Aussage zusammen.) Nur dann, wenn der Wahrheitsgehalt einer
Aussage nicht feststeht oder wenn es aus anderen Gründen (etwa bei

einer Verleumdung) wichtig ist, den Aussagemitteilenden zu berücksichtigen, ist es sinnvoll, die personale Abhängigkeit von Aussagen zu beachten. Oft sind jedoch personale Aussagen, zu denen überpersonale Aussagen gebildet werden, nicht gänzlich bedeutungsgleich, weil die entsprechenden (analogen) Begriffe innerhalb der Aussagen bei den einzelnen Subjekten inhaltlich verschieden sein können, ohne dabei den designatorischen Umfang der Aussage zu verändern. Solche Aussagen nennen wir sinnverwandte, analoge Aussagen.

Eine Aussage, gleichviel ob sie personaler oder überpersonaler Art ist, hat immer nur genau eine einzige Bedeutung und intendiert deshalb nur entweder einen Sachverhalt oder eine Klasse von gleichartigen Sachverhalten, denn die Aussage ist wie der Begriff ein Bewußtseinsgebilde und als solches zu einem bestimmten Zeitpunkt stets nur auf *eine* Weise beschaffen, womit daher auch die semantische Struktur dieser Aussage festliegt. Wenn nun jedoch eine Aussage für den, der sie macht, nicht eindeutig ist, insofern derjenige nicht eindeutig angeben kann, welche Sachverhalte von der Aussage intendiert werden, so ist die Aussage doch deshalb nicht mehrdeutig, sondern undeutlich. Wie bei den Begriffen, können wir folglich auch bei den Aussagen deutliche oder präzise Aussagen von undeutlichen oder vagen Aussagen unterscheiden. Eine Aussage ist dann vage, wenn sie vage Begriffe enthält und demzufolge die Bezogenheiten der Begriffe in der Aussage zueinander nicht eindeutig sind. Wenn eine Aussage undeutlich oder vage ist, so ist auch stets der entsprechende Satz undeutlich. Analoges gilt für Begriff und Wort. Wenn eine undeutliche Aussage durch einen Satz mitgeteilt wird, so kann der Hörer zwar durch den Satz auf eine deutliche Aussage hingelenkt werden, aber diese deutliche Aussage ist semantisch von der verschieden, die der Sprecher mitteilen wollte. Andererseits kann eine deutliche Aussage auch durch einen undeutlichen Satz mitgeteilt werden. Dabei ist zwar der Satz für den Sprecher eindeutig, weil dieser den inadäquat formulierten Satz mit der deutlichen Aussage, die er selbst im Bewußtsein hat, verbindet. Aber für den Hörer ist der Satz und demzufolge die von diesem Satz bei ihm intendierte Aussage undeutlich, weil er dem inadäquat formulierten Satz nicht eindeutig entnehmen kann, welche Aussage von dem Sprecher gemeint war.

10.4. Die elementaren Aussagenarten

Wir können spezielle Aussagenarten von generellen oder elementaren Aussagenarten unterscheiden. Spezielle Aussagenarten finden wir in den einzelnen Wissenschaften. (So intendieren die Sätze eines Physikbuches eine Klasse spezieller Aussagen, nämlich die diesbezügliche Klasse physikalischer Aussagen.) Eine Gruppe von Aussagen können stets dann eine spezielle Aussagenart bilden, wenn die Aussagen dieser Gruppe zueinander in inhaltlicher Verwandtschaft stehen. Demgegenüber bilden die elementaren Aussagenarten eine Aussagengattung, bei der von den inhaltlichen Bezogenheiten so weit abstrahiert wird, daß nur die elementarsten Begriffsbezogenheiten, welche bei allen Aussagen auftreten können, Berücksichtigung finden. Dadurch daß die elementaren Aussagenarten in Abhängigkeit zu den elementaren Begriffsbezogenheiten gebildet werden, haben die elementaren Aussagenarten mit den elementaren Begriffsarten viel gemeinsam, so daß die Beschreibung der Aussagenarten, welche an sich umfangreicher als die Beschreibung der Begriffsarten sein müßte, hier kürzer ausfallen kann, weil wir die Begriffsarten bereits besprochen haben.

Der Einteilungsgrund unserer elementaren Aussagenarten sind die Bezogenheiten der Begriffe innerhalb einer oder höchstens zwischen zwei Aussagen. Dagegen können auch höhere Aussagenarten dadurch gebildet werden, daß die Begriffsbezogenheiten zwischen mehr als zwei elementaren Aussagen betrachtet werden. Es handelt sich hierbei um komplexere Aussagenarten, wobei diejenigen komplexeren Aussagenarten, welche sich als komplexe deduktive Aussagenarten darstellen lassen, in der Logik untersucht werden. Demgegenüber müssen diejenigen komplexeren Aussagenarten, welche nicht als Schlußformen aufgefaßt werden können, im Rahmen einer umfangreicheren semantischen Abhandlung als der unsrigen ihre Behandlung finden.

Am elementarsten ist die Klassifikation der Aussagen in einerseits solche Aussagen, welche attributive Sachverhalte intendieren, und andererseits in solche Aussagen, welche relationale Sachverhalte intendieren. Diese Klassifikation entspricht der elementarsten Begriffsklassifikation in Gegenstands- und Bestimmungsbegriffe. (Es sei übrigens hier darauf hingewiesen, daß alle unsere Aussagenklassifikationen ebenso wie unsere Begriffsklassifikationen Dichotomien oder Zweiteilungen sind, so daß die Aussagen oder Begriffe entweder zu der einen oder zu der anderen Teilklasse der Zweiteilung gehören.)

Im Hinblick auf die Existenz der intendierten Sachverhalte lassen sich Aussagen fernerhin in wahre und falsche Aussagen klassifizieren. Ferner lassen sich die (wahren) Aussagen im Hinblick auf die Anzahl der existenten intendierten Sachverhalte in Einzelaussagen und Allgemeinaussagen klassifizieren. Eine weitere Aussagengattung bilden die analytischen Aussagen, welche besonders bei Begriffsdefinitionen eine Rolle spielen, und die synthetischen Aussagen, welche Indikatoren des Erkenntnisprogresses sind.

Komplizierter als die bisher genannten Klassifikationen sind die folgenden, bei denen die Aussagen in inhaltlicher oder umfänglicher Abhängigkeit zu anderen Aussagen klassifiziert werden. So lassen sich nach allgemeinen Inhaltsbezogenheiten Aussagen einerseits in gehaltvolle und gehaltarme und andererseits in sinnverwandte und disparate Aussagen klassifizieren. Mit diesen nach Inhaltsbezogenheiten klassifizierten Aussagenarten korrelieren solche Aussagenarten, welche in Analogie zu den Begriffsumfangsbeziehungen nach Aussagenumfangsbeziehungen aufgeteilt werden können.

Die aufgezählten Aussagenarten erschöpfen die wichtigsten elementaren Aussagenarten; alle weiteren Aussagenarten nähern sich zusehends den speziellen Aussagenarten.

10.4.1. Wahre und falsche Aussagen

Im Hinblick auf die Existenz der intendierten Sachverhalte lassen sich Aussagen in wahre und falsche Aussagen klassifizieren, denn die Existenz der Sachverhalte ist eine notwendige Bedingung für die inhaltliche Übereinstimmung oder Adäquatheit der Sachverhalte mit den entsprechenden Aussagen, welche diese Sachverhalte intendieren. Eine Aussage ist demzufolge erst dann wahr, wenn die von ihr intendierten Sachverhalte existieren und wenn diese zu der Aussage im Verhältnis einer inhaltlichen Adäquatheit stehen. Demgegenüber liegen falsche Aussagen dann vor, wenn die von der Aussage intendierten Sachverhalte nicht existieren. Wie objektive Begriffe, so haben auch wahre Aussagen zumeist bewußtseinstranszendente Sachverhalte als Designate, von denen (im Gegensatz zu vielen mathematischen Gebilden) gilt, daß sie auch noch dann existieren, wenn die entsprechende Aussage nicht im Bewußtsein eines Subjektes gegenwärtig ist. (Es sei hier nochmals darauf hingewiesen, daß der Begriff der Existenz alle Zeitformen umfaßt, so daß eine Aussage nicht nur dann wahr ist, wenn der entsprechende Sachverhalt gegenwärtig existiert, sondern auch dann wahr ist, wenn der entsprechende Sachverhalt gewesen ist oder sein wird.) Notwendig ist indes, daß der Sachverhalt überhaupt in eine Zeitform (Gegenwart, Vergangenheit, Zukunft oder Ewigkeit) eingeordnet wird. Eine Aussage, die dagegen einen Sachverhalt intendiert, der nie war noch jemals sein wird, kann nie wahr sein. Doch da bislang exakte Kriterien für die Unterscheidung zwischen wahren und falschen Aussagen fehlen, ist es in vielen Fällen unmöglich zu entscheiden, ob eine vorgegebene Aussage wahr oder falsch ist.

Falschen Aussagen liegt entweder eine echte Verkennung von Sachverhalten zugrunde, womit die Sachverhaltsintentionen Scheinintentionen sind, oder der Wissenschaftler, welcher die falsche Aussage bildet, ist sich der Falschheit (Phantasiehaftigkeit) derselben bewußt und bildet sie nur deshalb, um Hypothesen aufzustellen.

Aussagen, welche subjektive Gegenstandsbegriffe enthalten, sind stets falsch. Eine Ausnahme bilden lediglich solche Aussagen, die den Gegenstandsbegriff als subjektiv erklären. (So «Marsmenschen existieren nicht.») Wenn dagegen der Gegenstandsbegriff einer falschen Aussage objektiv ist, so ist der Bestimmungsbegriff entweder subjektiv, oder er paßt trotz seiner Objektivität auf den Gegenstandsbegriff nicht zu, der das durch den Bestimmungsbegriff zugeordnete Merkmal nicht als implizites Merkmal in seine Inhaltsstruktur aufnehmen kann, weil seine Designate sonst überbestimmt wären, wodurch der Gegenstandsbegriff zu einem subjektiven Begriff werden müßte. Eine Aussage kann also lauter objektive Begriffe enthalten und doch durch die Bezogenheit der Begriffe zueinander falsch sein. (So ist die Aussage «Häuser sind zweiäugig» trotz der zwei objektiven Begriffe, die sie enthält, falsch, denn es gibt zwar Häuser, und es gibt auch eine Zweiäugigkeit, aber es gibt keine zweiäugigen Häuser. Das angegebene Beispiel ist zweifellos unsinnig und klingt auch albern. Doch haben alle falsche Aussagen eine ähnliche Struktur, die jedoch oft so komplex ist, daß wir die Unsinnigkeit nicht durchschauen können.)

Wenn wir mitteilen wollen, daß eine bestimmte Aussage falsch ist, so fügen wir in den entsprechenden Satz das Wort «nicht» ein. (Beispielsweise entspricht der Satz «Die Sonne scheint nicht» dem Satz «Es ist nicht wahr, daß die Sonne scheint».)

In der Wissenschaft ist man bemüht, zu wahren Aussagen zu gelangen, deren Wahrheitsgehalte es durch wiederholte Verifikationen zu überprüfen gilt. Demgegenüber geht es dem Dichter nicht direkt um wahre Aussagen; er will vielmehr indirekt durch die Gesamtheit der falschen Aussagen, aus denen sich sein Dichtwerk konstituiert, eine wahre, meist axiologisch getönte Aussage machen. So sind beispielsweise die einzelnen Aussagen einer Erzählung strenggenommen falsch, denn die in der Erzählung beschriebenen Personen haben so nicht existiert. Aber die Gesamtaussage, die implizite in der Erzählung steckt (etwa daß Menschen allgemein diese oder jene Tugenden haben), kann durchaus wahr sein, obwohl dies nicht der Fall sein muß. So gibt es freilich auch Dichtwerke, die keine allgemeine Aussage enthalten und mithin völlig sinnlos sind. Die entsprechenden Sätze zu den Aussagen des Dichtwerkes erfüllen deshalb nur rein sprachästhetische Funktionen, indem sie bestimmte Emotionen wecken wollen.

10.4.2. Einzel- und Allgemeinaussagen

Hinsichtlich der Anzahl der existenten Sachverhalte lassen sich Aussagen in (spezielle) Einzelaussagen und (generelle, universale) Allgemeinaussagen klassifizieren. Eine Einzelaussage intendiert nur einen einzigen Sachverhalt (etwa «Kant starb 1804»), eine Allgemeinaussage intendiert dagegen eine Klasse gleichartiger Sachverhalte («Alle Tiere brauchen zum Leben Sauerstoff»). Wenn eine Einzelaussage Attributionsaussage ist, enthält sie als Gegenstandsbegriff einen Einzelbegriff oder als Grenzfall einen auf ein Designat restringierten Allgemeinbegriff und als Bestimmungsbegriff entweder einen Einzelbegriff oder einen restringierten Allgemeinbegriff. (So enthält die Einzelaussage «London ist groß» als Gegenstandsbegriff den Einzelbegriff «London» und als Bestimmungsbegriff den Allgemeinbegriff «groß», der hier auf London restringiert ist.) Unter einem restringierten (beschränkten) Allgemeinbegriff verstehen wir einen solchen Begriff, der innerhalb einer Aussage bei unverändertem Inhalt einen kleineren Designatenumfang hat, als wenn er isoliert betrachtet würde. (So intendiert der Allgemeinbegriff «Größe» eine Vielzahl von Designaten, aber bei der Aussage «London ist groß» denken wir nur an die Größe Londons, während die Größe anderer Seinsheiten unbeachtet bleibt.) Ob ein Bestimmungsbegriffswort in einem Satz einen restringierten oder unrestringierten Bestimmungsbegriff der entsprechenden Aussage intendiert, läßt sich meist nur am Gegenstandsbegriffswort desselben Satzes ersehen, dem quantifizierende Indikatoren («dieses», «einige» usw.) beigeordnet sind, denn Gegenstandsbegriffe (Referensbegriffe) und Bestimmungsbegriffe haben innerhalb derselben Aussage dieselbe Anzahl an Designaten. Man kann hier von designatorischer Kongruenz sprechen, mit der die grammatisch-formale Kongruenz der Satzglieder korrespondiert.

Es sei hier darauf hingewiesen, daß es Einzelaussagen (oder partikuläre Aussagen) gibt, die willkürlich restringierte Allgemeinbegriffe enthalten, welche ohne Veränderung des Wahrheitsgehaltes eine größere Designatenklasse intendieren könnten. (So «Einige Menschen sind sterblich»; «Es gibt einen sterblichen Menschen») Diese Aussagen, für welche die folgenden Gesetzlichkeiten nur noch mutatis mutandis zutreffen, wollen wir als unechte Einzelaussagen (oder partikuläre Aussagen) bezeichnen, obwohl sie strenggenommen wahr sind.

Wenn eine Einzelaussage Relationsaussage ist, so enthält sie als Referensbegriff einen Einzelbegriff (oder einen auf ein einziges Designat restringierten Allgemeinbegriff) und als Bestimmungsbegriff entweder einen Einzelbegriff oder einen restringierten Allgemeinbegriff. Der Relatbegriff kann unabhängig davon Einzelbegriff oder restringierter oder unrestringierter Allgemeinbegriff sein (Etwa «Ein bestimmter Attentäter erschoß Kennedy»; «Attentäter» = Allgemeinbegriff, der hier auf ein Designat restringiert ist. Würde man für den Ausdruck «ein bestimmter Attentäter» den Namen substituieren, so würde dieser einen echten Einzelbegriff intendieren. «erschoß» = restringierter Bestimmungsbegriff. «Kennedy» = Einzelbegriff. Der Begriff «Attentäter» ist Referensbegriff und der Begriff «Kennedy» ist Relatbegriff.) Es sei nochmals bemerkt, daß wir es hier bei der einfachsten Relation bewenden lassen, nämlich bei der zweistelligen, unsymmetrischen Relation, die wohl am leichtesten zu erfassen ist und in vielen Sprachen von solchen Sätzen intendiert werden, die Subjekt, Prädikat und Akkusativobjekt enthalten (etwa «Ein bestimmter Attentäter [Subjekt] erschoß [Prädikat] Kennedy [Akkusativobjekt]»). Doch treffen die hier erörterten Gesetzlichkeiten auch für Relationsaussagen zu, die mehrwertige Bestimmungsbegriffe enthalten und demzufolge mehrstellige Relationen intendieren, aber es lassen sich komplexere Relationsaussagen ohne Formelsprache nur sehr umständlich beschreiben, und sie gehören schon in den Bereich der höheren Semantik. Andererseits übergehen wir hier die Beschreibung von Relationsaussagen, die zweistellige symmetrische Relationen intendieren, weil bei diesen die Funktionen von Referens- und Relatbegriffen gleichgestellt sind. Hierbei sind besondere Untersuchungen nötig. (Es sei übrigens darauf hingewiesen, daß bei symmetrischen Relationen die üblichen Begriffe «Vorgänger» und «Nachfolger» nicht verwendet werden können und überdies auch bei anderen Relationen irreführend sind, insofern allzuleicht das Davor- und Dahinterstehen von Symbolen auf dem Papier mit der Örtlichkeit der Relationsglieder in der Wirklichkeit konfundiert werden kann.)

Wenn eine Allgemeinaussage Attributionsaussage ist, so enthält sie als Gegenstandsbegriff einen unrestringierten Allgemeinbegriff und als Bestimmungsbegriff entweder einen restringierten oder einen unrestringierten Allgemeinbegriff (So «Alle Menschen sind sterblich»; der Bestimmungsbegriff der Sterblichkeit ist hier ein auf die Klasse der Menschen restringierter Allgemeinbegriff und hätte als isolierter Allgemeinbegriff noch weitere Designate, nämlich alle weiteren Lebewesen.) Wenn eine Allgemeinaussage Relationsaussage ist, so enthält sie als Referensbegriff einen Allgemeinbegriff und als Bestimmungsbegriff einen restringierten oder unrestringierten Allgemeinbegriff. Der Relatbegriff dagegen kann ein Einzelbegriff oder ein restringierter oder unrestringierter Allgemeinbegriff sein (etwa «Alle Wissenschaftler lesen Bücher»; «Alle Biologen lesen dieses Handbuch».)

Neben den Einzel- und Allgemeinaussagen kennen wir noch die partikulären Aussagen, bei denen die Gegenstandsbegriffe (Referensbegriffe) zwar ebenfalls wie bei den Allgemeinaussagen Seinsheitsklassen intendieren, aber bei denen die entsprechenden Bestimmungsbegriffe nicht wie bei den Allgemeinaussagen essentielle, sondern akzidentelle Bestimmungen intendieren. Der Gegenstandsbegriff ist deshalb stets ein restringierter Allgemeinbegriff, wobei dem entsprechenden Gegenstandsbegriffswort die die Restriktion indizierenden Wörter (bestimmte oder unbestimmte Zahlwörter) zugeordnet sind. Wenn eine partikuläre Aussage Attributionsaussage ist, so enthält sie neben dem Gegenstandsbegriff, der ein designatorisch restringierter Allgemeinbegriff ist, als Bestimmungsbegriff einen restringierten oder auch möglicherweise unrestringierten Allgemeinbegriff. (Etwa «Viele Menschen denken inkonsequent»; der Bestimmungsbegriff des inkonsequenten Denkens ist hier unrestringiert, weil nur Menschen inkonsequent denken können. Dagegen enthält etwa die Aussage «Einige Menschen sind tollwütig» als Bestimmungsbegriff den restringierten Allgemeinbegriff «tollwütig», weil nicht nur Menschen an der Tollwut (Lyssa) erkranken können.)

Wenn eine partikuläre Aussage eine Relationsaussage ist, so enthält sie neben dem restringierten Referensbegriff als Bestimmungsbegriff einen restringierten oder unrestringierten Allgemeinbegriff; dagegen kann der Relatbegriff Einzelbegriff oder restringierter oder unrestringierter Allgemeinbegriff sein. (So «Einige Menschen liebten Hitler»; «Zwei Bademeister retteten in einem Sommer fünfzehn Menschen vor dem Ertrinken».) Es sei hier nochmals bemerkt, daß bei Relationsaussagen nur zwischen Referensbegriff und Bestimmungsbegriff eine designatorische (rein anzahlmäßige) Kongruenz vorliegt. Allein bei Relationsaussagen, die symmetrische Relationen intendieren, wird auch der Relatbegriff von der Kongruenz betroffen. (Etwa «Elf Deutsche Mark entsprachen einem englischen Pfund».)

10.4.3. Analytische und synthetische Aussagen

Obwohl das Problem analytischer und synthetischer Aussagen schon oft diskutiert wurde, ist man noch nicht zu einer zufriedenstellenden Lösung gekommen, weil hierbei gnoseologische und semantische Gesetzlichkeiten gleichermaßen berücksichtigt werden müssen. Die Wörter «Erweiterungsurteil» und «Erläuterungsurteil», welche teilweise für die Ausdrücke «synthetische Aussage» und «analytische Aussage» verwandt werden können, deuten die semantischen Bezogenheiten an. Dagegen deuten die ebenfalls teilweise anwendbaren Wörter «Tatsachenurteil» und «Vernunftsurteil» (vérité de fait und vérité de raison, beziehungsweise statement of fact und statement of reason) die gnoseologischen Bezogenheiten an. (Bekanntlich war es auch die Hauptaufgabe der «Kritik der reinen Vernunft» von Kant, analytische und synthetische Aussagen (Urteile) auf ihre Apriorität beziehungsweise Aposteriorität zu untersuchen.)

Semantisch formuliert, enthalten analytische Aussagen solche Bestimmungsbegriffe, die als Merkmale bereits im entsprechenden Gegenstandsbegriff enthalten sind. Dagegen enthalten synthetische Aussagen solche Bestimmungsbegriffe, die als Merkmale im entsprechenden Gegenstandsbegriff (Referensbegriff) noch nicht enthalten sind. (So steckt in dem Begriff «Mensch» bereits das Merkmal «Denken», weshalb die Aussage «Der Mensch denkt» analytischen Charakter hat. Demgegenüber steckt der Begriff «Mondfahrer» noch nicht als Merkmal in dem Begriff «Mensch», weshalb die Aussage «Einige Menschen fahren auf den Mond» synthetischen Charakter hat.)

Da bei einer analytischen Aussage der Bestimmungsbegriff in dem entsprechenden Gegenstandsbegriff (Referensbegriff) inhaltlich enthalten ist, intendiert der Bestimmungsbegriff essentielle Bestimmungen der Designate des Gegenstandsbegriffes. Da umgekehrt bei einer synthetischen Aussage der Bestimmungsbegriff in dem entsprechenden Gegenstandsbegriff (Referensbegriff) nicht inhaltlich enthalten ist, intendiert der Bestimmungsbegriff akzidentelle Bestimmungen der Designate des Gegenstandsbegriffes.

Eine analytische Aussage *kann* entweder eine Einzelaussage oder eine Allgemeinaussage sein, weil in beiden Fällen *alle* Designate des Gegenstandsbegriffes, sofern er als isolierter Begriff betrachtet wird, von dem Bestimmungsbegriff im Hinblick auf die vorgegebene Bestimmung intendiert werden. Dagegen hat eine partikuläre Aussage stets synthetischen Charakter, weil bei dieser von dem Bestimmungsbegriff nur ein Teil der Designate des entsprechenden Gegenstandsbegriffs, sofern er als isolierter Begriff betrachtet wird, im Hinblick auf die vorgegebene Bestimmung intendiert werden. Weil hier der Bestimmungsbegriff akzidentelle Bestimmungen der Designate des innerhalb der Aussage designatorisch restringierten Gegenstandsbegriffes intendiert, kann der Bestimmungsbegriff in keiner Weise zu einem Merkmal des (isoliert betrachteten) Gegenstandsbegriffes werden (wie dies bei den synthetischen Aussagen möglich ist, bei denen die Bestimmungsbegriffe essentielle Bestimmungen intendieren,) denn sonst würde der Gegenstandsbegriff durch Einverleibung von Merkmalen, welche akzidentelle Bestimmungen intendieren, ein antinomisches Bedeutungsgebilde, nämlich ein subjektiver Begriff werden, auf den nunmehr überhaupt keine Designate mehr zutreffen würden. Es sei hierbei darauf hingewiesen, daß der Gegenstandsbegriff den die akzidentelle Bestimmung intendierenden Bestimmungsbegriff als Merkmal in seine Inhaltsstruktur freilich dann aufnehmen kann, wenn der Designatenumfang des isoliert betrachteten Gegenstandsbegriffes denselben Umfang wie als restringierter Gegenstandsbegriff der partikulären Aussage erhält. (So kann bei der synthetischen, partikulären Aussage «Einige Menschen sind blond» der Bestimmungsbegriff «blond» nicht als Merkmal in den Gegenstandsbegriff «Mensch» aufgenommen werden, sofern dieser nicht designatorisch restringiert wird, wie der Begriff «Blonder».) Wenn wir sagen, daß das Schwergewicht einer Aussage auf dem Bestimmungsbegriff liegt, so meinen wir bei einer analytischen Aussage, daß der Bestimmungsbegriff an dem Gegenstandsbegriff ein bestimmtes Merkmal hervorhebt, während in derselben Aussage alle anderen Merkmale, die dem Gegenstandsbegriff sonst noch zukommen, unbeachtet bleiben. Somit macht die analytische Aussage ein Merkmal eines Gegenstandsbegriffes manifest, das er bereits latenterweise enthält, anders formuliert, sie macht ein implizites Merkmal explizit. Insofern in einer analytischen Aussage von dem Gegenstandsbegriff nur das durch den Bestimmungsbegriff hervorgehobene Merkmal in den Vordergrund tritt, ist ein solcher Gegenstandsbegriff innerhalb der Aussage weniger inhaltsreich, als wenn er im Hinblick auf die Gesamtheit seiner Merkmale als isolierter Begriff betrachtet würde. Allerdings würde das Gesetz der Sukzessivität der Apperzeptionsgegenstände eine solche Gesamtschau verbieten, weil das apperzipierende Ich sich nur eine oder höchstens einige Bestimmungen der Designate des Gegenstandsbegriffes gleichzeitig vergegenwärtigen könnte.

Bei einer synthetischen Aussage liegt insofern das Schwergewicht auf dem Bestimmungsbegriff, als dieser dem Gegenstandsbegriff ein Merkmal zuordnet, das ihm bislang noch nicht zukam (und das er übrigens auch nur dann in seine Inhaltsstruktur aufnehmen kann, wenn es eine essentielle Bestimmung intendiert), während *alle* Merkmale des Gegenstandsbegriffes in dieser Aussage nur implizite gegeben sind.

Bei der bisherigen Erörterung analytischer und synthetischer Aussagen wurde kein Unterschied zwischen dem Aussagenmitteilenden und dem Aussagenerfahrenden gemacht. Diese Unterscheidung ist jedoch für das Enthaltensein oder Nichtenthaltensein von Merkmalen im Gegenstandsbegriff ausschlaggebend. Dabei gilt folgendes: Bei dem Aussagenmitteilenden sind Einzel- und Allgemeinaussagen stets dann analytisch, wenn der entsprechende Gegenstandsbegriff nicht völlig neu ist und demzufolge von dem Aussagenmitteilenden nicht einen besonderen synthetischen Definitionsakt erfordert; doch sind hierbei Abgrenzungen schwierig (vgl. 8.3.2.), weil bei der Begriffsbildung schwer zu entscheiden ist, wann genau ein Merkmal einem Begriff einverleibt wurde. Für den Aussagenmitteilenden sind fernerhin partikuläre Aussagen stets synthetischer Natur, weil bei diesen der Bestimmungsbegriff im Gegenstandsbegriff nie enthalten sein kann.

Ebenso sind für den Aussagenerfahrenden partikuläre Aussagen stets synthetisch. Darüberhinaus sind aber auch Einzel- und Allgemeinaussagen bei dem Aussagenerfahrenden öfter synthetischer Natur als bei dem Aussagenmitteilenden, weil sich der Aussagenmitteilende im allgemeinen über den Begriff, bei dem er ein Merkmal hervorhebt, im klaren ist, während dies für den Aussagenerfahrenden gerade meist nicht zutrifft. Einzel- und Allgemeinaussagen lassen sich nämlich als Begriffsdefinitionen darstellen, die überflüssig wären, wenn der Aussagenerfahrende den zu definierenden Begriff bereits kennen würde. So befinden sich Begriffsdefinitionen, welche sich für den Aussagenmitteilenden als analytische und für den Aussagenerfahrenden als synthetische Aussagen darstellen, in dem Verhältnis: Lehrer – Schüler, weil der Lehrer durch definitorische Aussagen sein Wissen über eine bestimmte Designatenklasse den Schülern mitteilt, die noch nicht dieses umfangreiche Wissen haben. Nur wenn demnach der Lehrende einen Begriff zu definieren versucht, der für ihn selbst noch völlig neu ist, hat auch für ihn die entsprechende definitorische Aussage synthetischen Charakter. Die definitorischen Aussagen, welche auch für den Aussagenmitteilenden synthetischen Charakter haben, leiten sich direkt auch dem Erkenntnisprogreß her. Wenn dabei neue Bestimmungen einer vorgegebenen Designatenklasse erkannt werden, werden entsprechend neue Merkmale dem jeweiligen Gegenstandsbegriff ankristallisiert. Aus dem Wesen des Erkenntnisprogresses bezüglich einer bestimmten Designatenklasse resultiert das Wesen des Konkretisierungsprozesses des entsprechenden Begriffes: beide Vorgänge sind im allgemeinen unvollendbar, weil sowohl in dem Wesen des erkennenden Subjektes (unzureichendes Begriffsvermögen u. a.) als auch in dem Wesen des zu erkennenden Objektes (Komplexität u. a.) wesenhafte Hindernisse gegeben sind, welche die Vollendung des Erkenntnisprogresses und entsprechend des Konkretionsprogresses unmöglich machen.

Analytische und synthetische Aussagen können im Hinblick auf ihren möglichen empirischen oder apriorischen Ursprung hier freilich nicht in extenso behandelt werden. Doch folgendes darf als gesichert angenommen werden: Apriorische Aussagen, welche sich auf reale Sachverhalte beziehen, sind stets analytischer Natur, weil sie auf Schlußfolgerungen, welche nur den impliziten Gehalt von Begriffen explizit machen können, beruhen. Demgegenüber ist eine empirische (aposteriorische) Aussage für den Erkennenden entweder analytisch bei Einzel- und Allgemeinaussagen oder synthetisch bei partikulären Aussagen. Dagegen kann hier nicht erörtert werden, ob es synthetische Aussagen a priori gibt, weil wir dazu Rekurs auf ideale Sachverhalte nehmen müßten, die wegen ihrer besonderen Problematik einer umfangreichen Erörterung bedürften.

10.4.4. Begriffsumfangsbeziehungen innerhalb von Aussagen

In Analogie zu den Begriffsumfangsbeziehungen können einerseits Umfangsbeziehungen zwischen Aussagen untersucht werden (dies tut die Logik beziehungsweise die Semantik komplexerer Bedeutungsgebilde), und andererseits können Begriffsbezogenheiten innerhalb von Aussagen untersucht werden. Dazu wollen wir kurz mit Beschränkung auf Attributionsaussagen zeigen, aus welchen diesbezüglichen Begriffen sie zusammengesetzt sein können.

Wenn Begriffe nicht zueinander in einer designatorischen Beziehung stehen, so lassen sich mit diesen Begriffen negative Attributionsaussagen bilden (etwa «Kein Vogel ist ein Kiemenatmer»). Wenn sich Begriffe überschneiden, so lassen sich mit diesen partikuläre Attributionsaussagen bilden, wobei Gegenstands- und Bestimmungsbegriffe vertauscht werden können (etwa «Einige Deutsche sind Bauern und umgekehrt»). Wenn ein Begriff dem anderen übergeordnet ist, so läßt sich mit dem übergeordneten Begriff als Gegenstandsbegriff eine partikuläre und mit dem untergeordneten Begriff als Gegenstandsbegriff eine allgemeine Attributionsaussage bilden (etwa «Einige Tiere sind Hunde» und «Alle Hunde sind Tiere»). Mit designatorisch gleichen überpersonalen Begriffen werden praktisch kaum Aussagen gebildet.

11.   SEMANTISCHE METHODOLOGIE

Unsere semantische Abhandlung verfolgt nicht nur theoretische, sondern auch praktische Zwecke, wobei der theoretische Zweck unserer Abhandlung darin besteht, eine Übersicht über die elementaren sprachlichen Bedeutungsgebilde und deren Gesetzlichkeiten zu geben, während der praktische Zweck unserer Abhandlung darin besteht, aus den Beschreibungen der Bedeutungsgebilde Methoden abzuleiten, welche einerseits erlauben, wissenschaftliche Erkenntnisse semantisch adäquat zu formulieren, und andererseits in größerem Umfange ermöglichen, adäquate oder inadäquate Formulierungen (Sätze) wissenschaftlicher Aussagen adäquat zu erfassen. Analog zu dem konstruktiven Verfassen einer wissenschaftlichen Abhandlung und zu dem rezeptiven Verstehen derselben können wir hier konstruktive semantische Methoden von rezeptiven unterscheiden.

Einige semantische Methoden haben wir schon systematisch entwickelt, nämlich die verschiedenen Definitionsarten, die teils zu den konstruktiven und teils zu den rezeptiven semantischen Methoden zu rechnen sind. Die folgenden semantischen Methoden sind bereits implizite in den vorangegangenen Untersuchungen enthalten, weshalb wir uns hier entsprechend kurz fassen können. Dabei lassen sich aus unseren vorangegangenen Untersuchungen freilich nur die konstruktiven semantischen Methoden deduzieren, weil diese mehr nomothetischen Charakter haben, während dies für die rezeptiven semantischen Methoden nicht zutrifft, so daß diese von speziellen idiographisch semantischen Analysen bezüglich des jeweiligen Sprachsystems abhängig gemacht werden müssen, wobei unsere Untersuchungen gerade von diesen Besonderheiten der einzelnen Sprachsysteme abstrahierten.

11.1.   Das Verfassen eines wissenschaftlichen Textes

11.1.1.   Erkenntnis und Mitteilung

Bevor es möglich ist, einen wissenschaftlichen Text zu verfassen, müssen bereits die Erkenntnisse im Geiste gegeben sein, die man mitteilen möchte, denn selbst mit den besten semantischen Methoden lassen sich höchstens Schlußfolgerungen (Konklusionen) machen;

echte neue Erkenntnisse (besonders empirischer Art) lassen sich mit semantischen Mitteln allein nicht gewinnen. Doch zeigt sich, daß Erkenntnisse oft eine präzisere Gestalt annehmen, wenn der Erkenntnismitteilende versucht, den adäquaten sprachlichen Ausdruck (Satz) für diese Erkenntnisse (Aussagen) zu finden. Dies resultiert daraus, daß Erkenntnisse, die bewußtseinsimmanente Gebilde sind, gewissermaßen zu bewußtseinstranszendenten Gebilden hypostasiert (vergegenständlicht) werden, wenn der Sprecher sie sprachlich formuliert und diese Formulierung zugleich wieder erfaßt, womit sich der Erkenntnismitteilende der sprachlichen Formulierung seiner Erkenntnis gegenübergestellt sieht; und indem er sie nochmals gedanklich realisiert, als würde sie *ihm* gerade mitgeteilt werden, erkennt er durch die Distanz, die er zu der Erkenntnis gewonnen hat, mögliche Mängel an ihr oder gar ihr Falschsein. Dies ist u.a. ein Grund, warum (erkennendes) Denken und Sprechen so eng miteinander verbunden sind. Doch dürfen Denken und Sprechen keineswegs gleichgesetzt werden, denn weder ist das Denken ein inneres Sprechen, noch ist das Sprechen ein entinnerlichtes Denken, denn das Denken ist ein geistiger und das Sprechen ein physischer Akt. Die Beziehungen sind deshalb so eng, weil wir während des Sprechens meist über das Gesprochene nachdenken und weil wir andererseits während des Denkens an einen bestimmten Gedanken auch zugleich daran denken, wie dieser Gedanke formuliert werden kann. Doch können wir auch sprechen (wie etwa ein Papagei), ohne dabei zu denken, und wir können auch denken (dies gilt besonders für anschauliche Gedanken), ohne dabei innerlich zu sprechen. (Es sei hier übrigens nebenbei bemerkt, daß die sprachliche Formulierung einer Erkenntnis geradezu das Verifikationsmittel par excellence ist, denn zur Verifikation einer Erkenntnis muß dieselbe vergegenständlicht werden, was am besten durch die Reapperzeption der sprachlichen Formulierung realisiert werden kann.)

11.1.2. Wahl der Sprache

Vor der Verfassung einer wissenschaftlichen Abhandlung muß man sich für eine bestimmte Sprache entscheiden, in der die Abhandlung geschrieben werden soll. Dabei gibt es eine Alternative zwischen natürlicher und künstlicher Sprache, und bei der Wahl einer natürlichen Sprache gibt es noch die Alternative zwischen Kultursprache und Primitivsprache.

Natürliche Sprachen, welche nicht systematisch konstruiert wurden, haben zwar wegen ihres großen Wortschatzes und der oft zahlreichen syntaktischen Mittel größere Ausdrucksmöglichkeiten als die künstlichen Sprachen, aber sie gestatten oftmals nicht wegen der Inhomogenität der Ausdrucksmöglichkeiten einen adäquaten Ausdruck. Dies gab denn auch Anlaß zur Schöpfung symbolischer Kunstsprachen (wie etwa die mathematischen und logistischen Formelsprachen), vermöge deren bestimmte Erkenntnisse zwar äußerst konzis (kurz und bündig), aber doch mit höchster Präzision formuliert werden.

Auf der anderen Seite wurden nicht so sehr wegen der sprachlichen Präzisierung als vielmehr wegen der internationalen Verständigung nichtsymbolische Kunstsprachen (wie etwa Volapük oder Esperanto) geschaffen, die sich jedoch nicht allgemein durchgesetzt haben. Indessen wurde bisher noch keine wissenschaftliche Kunstsprache geschaffen, die für alle Wissenschaften verwandt werden kann. Dies gilt besonders für alle empirischen Wissenschaften. Solange man nämlich in einem vornehmlich formalen Bereich verbleibt, wie dies bei der Mathematik und Logistik der Fall ist, ist es verhältnismäßig einfach, mit präzisen symbolischen Kunstsprachen zu arbeiten. Wenn es jedoch darum geht, die bunte Fülle der Wirklichkeit empirisch zu beschreiben, erweisen sich Kunstsprachen entweder als unzureichend, oder sie müssen immer wieder zu neuen außerordentlich komplexen und deshalb schwerfälligen und schwerverständlichen symbolischen Formulierungen suchen, um einem adäquaten Ausdruck von Aussagen über die sich stets wandelnde Wirklichkeit gerecht zu werden.

Aus dem Gesagten geht hervor, daß es nicht so sehr darauf ankommt, eine allgemeine wissenschaftliche Kunstsprache zu schaffen, wiewohl es für bestimmte Wissenschaften immer wieder vorteilhaft sein wird, bestimmte Problemkomplexe in symbolischer Sprache darzustellen; dagegen ist es aber vordringlich, die natürlichen Sprachen einer semantischen Präzisierung zu unterwerfen, die nicht nur die Wortformen- und Satzbaureglementierung betreffen würde, sondern auch teilweise die Wortschatzbereinigung, indem unpräzise idiomatische Wendungen und metaphorische Formen zumindest aus der wissenschaftlichen Sprache eliminiert würden. Wenn man jedoch bedenkt, daß viele Sprachgemeinschaften und die dabei maßgebenden Sprachlehrer derart traditionsgebunden sind, daß nicht einmal die in vielen Sprachen nötigen Rechtschreibereformen in Gang gesetzt werden, dürfte mit einer umfassenderen semantischen Reform der betreffenden natürlichen Sprachen noch lange nicht zu rechnen sein. Es ist deshalb auch nicht verwunderlich, daß einzelne Wissenschaftler immer mehr Rekurs auf symbolische Sprachen nehmen, wodurch übrigens auch dem Laien der Zugang zu den einzelnen Wissenschaften versperrt wird.

Wenn die wissenschaftliche Abhandlung in einer natürlichen Sprache verfaßt werden soll, so sollte man den Kultursprachen, gegenüber den Primitivsprachen, den Vorzug geben, weil der große Wortschatz und der oft syntaktische Formenreichtum einer Kultursprache in Relation zu einer Primitivsprache doch einen konzisen und zugleich präzisen Ausdruck gestattet, während bei einer Primitivsprache dauernd Umschreibungen notwendig sind, sofern diese nicht völlig versagt. Dabei möchten wir nicht verkennen, daß beispielsweise eine Eingeborenensprache auf manchen Gebieten (etwa Viehzucht) zur Differenzierung des Ausdrucks einen größeren Wortschatz zur Verfügung hat als irgendeine Kultursprache. Trotzdem sind Primitivsprachen für rein wissenschaftliche Abhandlungen im allgemeinen unbrauchbar, zumal die Wahl der natürlichen Sprache auch davon abhängig gemacht werden soll, ob sie von einem möglichst großen Sprecherkreis verwandt wird (wie eine Kultursprache) oder ob dies nicht der Fall ist (wie bei einer Primitivsprache oder einer ausgestorbenen Kultursprache). Dabei wird die Muttersprache, sofern sie eine lebende Kultursprache ist, im allgemeinen die geeigneteste Sprache zur Verfassung der Abhandlung sein.

11.1.3. Grammatik

Der Schriftsteller, der die wissenschaftliche Abhandlung verfaßt, muß mit der Grammatik der Kultursprache, in der er seine Abhandlung schreibt, genauestens vertraut sein. Dabei genügt es nicht nur, daß er die grammatischen Regeln unbewußt richtig anwendet, sondern daß er sich auch über deren Funktionen klar ist, so daß er sich in Zweifelsfällen für diese oder jene syntaktische Struktur entscheiden kann. In den historisch gewachsenen Kultursprachen treten nämlich oft verschiedene syntaktische Formen, welche jedoch gleiche Funktionen erfüllen, nebeneinander auf. (So lassen sich in vielen Sprachen Satzstellungsmodifikationen bei gleichbleibendem Sinn des Satzes vornehmen.) In solchen Fällen sollte man diejenigen grammatischen Formen bevorzugen, die zur Zeit der Verfassung der Ab-

handlung am häufigsten verwandt werden, weil dadurch die Adäquatheit des Verständnisses am ehesten verbürgt ist. Veraltete (archaistische) grammatische Formen sind nur dann statthaft, wenn die
entsprechenden modernen Formen mehrdeutig sein können. (So
wird die veraltete Fügung «derjenige ... der» heute meist durch
«der ... der» ersetzt, welch letztere Fügung jedoch mehrdeutig sein
kann, weshalb in solchen Fällen der Rekurs auf die archaistische
Fügung berechtigt erscheint.) Wenn die Adäquatheit des Ausdruckes
durch Anwendung der üblichen grammatischen Regeln beeinträch-
tigt erscheint, sollte man, sofern sich keine adäquate Umschreibung
finden läßt, die grammatischen Regeln durchbrechen. (So ist das
Wort «Eltern» nach allgemeinem Sprachgebrauch und nach gram-
matischer Beschreibung ein Pluralwort. In einer biologischen Abhandlung darf man sich jedoch für spezielle Erörterungen erlauben,
den Singular «Elter» zu bilden, wie es auch faktisch getan wird. Zeigt
sich jedoch, daß das Wort «Elternteil» mit dem Wort «Elter» gleich-
bedeutend ist, so sollte man das sprachinadäquate Wort «Elter» vermeiden.)

11.1.4. Wortschatz

Von der Sprache, in der die Abhandlung geschrieben werden soll,
muß man erstens eine allgemeine, wenn auch lückenhafte Wortschatzkenntnis der in der Sprache am häufigsten gebrauchten Wörter haben, und zweitens eine besondere lückenlose Wortschatzkenntnis derjenigen Wörter, die als Fachwörter für die (nomothetische)
Abhandlung in Frage kommen. Solange es sich nicht um Fremdwörter handelt, ist man oft irrigerweise der Ansicht, daß man alle Wörter der Muttersprache, in der die Abhandlung verfaßt wird, kenne.
Im Hinblick auf die Tatsache, daß Kultursprachen im allgemeinen
weit über 200 000 Wörter als Gesamtwortschatz haben, ist jedoch
evident, daß man selbst von der Muttersprache immer nur einen
Teil des Gesamtwortschatzes beherrschen kann. Wenn wir auch
einen großen Teil des gesamten Wortschatzes rein lautmäßig kennen,
so sind diese rein lautlich bekannten Wörter im Hinblick auf ihre
Bedeutungen vielfach nur sehr unzureichend bekannt, weil wir mit
diesen Wörtern oft nur sehr vage Begriffe verbinden, so daß derjenige
Begriff, der eigentlich von dem rein lautlich bekannten Wort intendiert werden sollte, keineswegs intendiert wird. (So kennen alle
Deutschen rein lautlich gesehen das Wort «Erdöl», aber die Begriffe

personaler Art, welche von den einzelnen Deutschen mit diesem Wort verbunden werden, sind inhaltlich durchaus vielfach verschieden, denn der eine weiß etwa, daß das Erdöl ein Gemisch von Aliphaten, Naphthenen usw. mit unterschiedlichen Anteilen ungesättigter Kohlenwasserstoffe ist, was einem anderen, der auch behauptet, das Wort «Erdöl» zu kennen, gänzlich unbekannt ist.)

Aus obigen Gründen resultiert, daß ein Schriftsteller stets nur eine lückenhafte allgemeine Kenntnis des gesamten Wortschatzes sowie auch nur eine lückenhafte Kenntnis der am häufigsten in seiner Muttersprache verwandten Wörter haben kann. Zur Abfassung einer wissenschaftlichen Abhandlung ist jedoch eine lückenhafte allgemeine Wortschatzkenntnis ausreichend, während demgegenüber die Kenntnis des für die wissenschaftliche Abhandlung nötigen Fachwortschatzes eine vollständige sein muß. Der Begriff «Fachwortschatz» (Terminologie, Nomenklatur) ist indes auf nomothetische Wissenschaften beschränkt; die Wörter einer idiographischen Abhandlung, welche als Gegenstandsbegriffswörter auftreten, sind keine Termini. (So ist die allgemeine Geschichtswissenschaft, die Sachverhalte, die keinen einmaligen Charakter haben, zum Gegenstand hat, eine nomothetische Wissenschaft und weist demzufolge eine entsprechende Terminologie auf. Demgegenüber werden die Wörter für die Begriffe bestimmter historischer Ereignisse oder Persönlichkeiten nicht zur Terminologie der Geschichtswissenschaft gerechnet. Hingegen können die Wörter für die Bestimmungsbegriffe einer solchen Beschreibung einmaliger historischer Sachverhalte durchaus Fachwörter sein.) Da die Sätze einer nomothetisch wissenschaftlichen Abhandlung eine ineinander verwobene Klasse analytischer Begriffsdefinitionen intendieren, weil es in der nomothetischen Wissenschaft darum geht, die essentiellen Bestimmungen einer vorgegebenen Klasse homogener Seinsheiten zu erkennen, stellt man den für die nomothetisch wissenschaftliche Abhandlung in Frage kommenden Fachwortschatz dadurch zusammen, indem man die Wortfelder, welche sich um die Definienda gruppieren, zusammenfaßt. Dies geschieht durch ein entsprechend umfangreiches onomasiologisches Wörterbuch (vgl. 6.8.). Da dem Verfasser im allgemeinen nicht alle Bedeutungen der in seiner Abhandlung verwandten Fachwörter bekannt sind, ist es vor Verfassung der Abhandlung nötig, den Fachwortschatz nicht nur zusammenzustellen, sondern auch eingehend semasiologisch zu untersuchen, wobei zu entscheiden ist, auf welche Bedeutungen mehrdeutige Fachwörter für die Abhandlung restringiert werden sollen. Vor einer Begriffsdefinition ist es stets notwendig, auf Mehrdeutigkeiten des entsprechenden Begriffswortes hinzuweisen, und es ist fernerhin ratsam, auf gleichbedeutende Wörter, welche auch für das Begriffswort, das verwandt wird, stehen könnten, hinzuweisen. Wissenschaftliche Abhandlungen werden entweder geschrieben, um bereits bekannte wissenschaftliche Erkenntnisse Schülern, Studenten oder auch Laien zugänglich zu machen oder um gänzlich neue Erkenntnisse der Fachwelt bekannt zu machen. Dabei geben neue Erkenntnisse Anlaß zur Bildung neuer Begriffe, und sofern eine Abhandlung neue Erkenntnisse vermitteln will, ist es auch notwendig, neue Wörter für die neuen Begriffe einzuführen. Dabei bieten sich folgende Möglichkeiten an: Man versucht zuallererst, für den neuen Begriff eine kurze Umschreibung mit bereits bekannten Wörtern zu finden. Wenn die Umschreibung jedoch zu kompliziert und zu umständlich wird, muß man entweder ein altes Wort mit einer neuen Bedeutung oder ein gänzlich neues Wort einführen. Wenn dabei ein altes Wort mit einer neuen Bedeutung belegt wird, vermöge deren es nunmehr den neuen Begriff intendiert, ist zu beachten, daß die bereits bekannte Bedeutung des alten Wortes mit der neuen Bedeutung sinnverwandt ist, weil man sich dadurch das alte Wort in seiner neuen Bedeutung leichter merken kann; es handelt sich also hier um eine modifizierende synthetische Wortdefinition. Wenn ein gänzlich neues Wort mit entsprechend neuer Bedeutung eingeführt wird, stehen drei Möglichkeiten zur Wahl. Entweder man erweitert ein muttersprachliches Wort lautlich (durch Wortbildungssilben usw., vgl. 6.6.) und reiht es in die bereits bestehende Wortfamilie ein, zu der es auch in inhaltlicher Verwandtschaft stehen sollte, oder man führt ein Fremdwort in einer der Muttersprache angepaßten lautlichen Form ein und belegt es mit einer solchen Bedeutung, die sich indes etymologisch rechtfertigen lassen muß, indem man nachweist, daß die Bedeutung des neu eingeführten Fremdwortes mit der Bedeutung, die es in der fremden Sprache hat, sinnverwandt ist; denn wer fremdsprachlich bewandert ist, findet bei Beachtung der Sinnverwandtheit eine merkliche Gedächtnisstütze. Es ist deshalb auch angebracht, bei der Einführung eines Fremdwortes die Etymologie anzugeben.

Für einen neuen Begriff kann man schließlich (drittens) auch ein gänzlich neues Wort einführen, das in keiner Relation zu muttersprachlichen oder fremdsprachlichen Wörtern stehen würde. Doch abgesehen von einigen chemischen, mathematischen oder biologischen

Symbolen ist diese absolute Wortschöpfung im allgemeinen nicht üblich, weil man sich aus rational nicht ganz erklärlichen Gründen vor Wortschöpfungen scheut. Der einzige Nachteil für Wortschöpfungen ist darin zu sehen, daß sie keine Gedächtnisstützen liefern.

11.1.5. Eindeutigkeit

Die Aussagen, die durch eine wissenschaftliche Abhandlung vermittelt werden, sollen nicht nur wahr sein, sondern auch durch eindeutige Sätze mitgeteilt werden, denn nur bei Eindeutigkeit des sprachlichen Ausdrucks ist es überhaupt möglich, die vermittelten Erkenntnisse auf ihren Wahrheitsgehalt zu überprüfen. Die Eindeutigkeit wird dabei nicht nur durch strikte Beachtung der grammatischen Regeln und durch präzise Wortdefinitionen der verwandten Termini erreicht, sondern auch durch Vermeidung von Metaphern und Idiomen (Redewendungen), die zwar die Sprache verschönern, aber sie zugleich semantisch unpräzis machen (vgl. 6.7.1. und 6.7.2.). In wissenschaftlichen Abhandlungen deuten Metaphern den Erkenntnisprogreß und auch zugleich die gegenwärtige Grenze des Erkenntnisvermögens des Verfassers an, insofern dieser gewisse Bestimmungen der zu erkennenden Klasse von Seinsheiten noch nicht hinlänglich erkannt hat, obwohl er bereits die Verwandtschaft dieser gewissen Bestimmungen zu gewissen Bestimmungen einer anderen Klasse von Seinsheiten erkennt. Die wissenschaftliche Schwäche einer Metapher liegt darin, daß der entsprechende Begriff keine präzise Unterscheidung zwischen den zwei Seinsheitsklassen und ihren Bestimmungen zu leisten vermag, weshalb der mit der Metapher korrelierende Begriff auch subjektiver Natur ist. Wenn die gewissen Bestimmungen der zu erkennenden Klasse von Seinsheiten voll erkannt sind, ist es stets möglich, für die Metapher eine unmetaphorische Umschreibung zu substituieren. Wenn der Erkenntnisprogreß jedoch zum Stillstand kommt, ist es besser, das vorläufig Unerkennbare klar abzugrenzen, als seine Unwissenheit durch metaphorische Formen zu verbergen. In diesem Zusammenhang sei darauf hingewiesen, daß freilich nicht bloß Metaphern, sondern auch alle anderen vagen Formulierungen zu vermeiden sind, die sich allerdings, sofern sie nicht metaphorischer Natur sind, meist als unzulängliche Analogien darstellen lassen.

Wenn wir in der Umgangssprache idiomatische Wendungen gebrauchen, so ist dem Angesprochenen im allgemeinen klar, was damit gemeint ist, weil die durch die idiomatischen Wendungen vermittelten Aussagen meist einen trivialen (leicht einsichtigen) Charakter haben. Idiomatische Wendungen konstituieren sich jedoch meist aus synkategorematischen Wörtern oder enthalten synkategorematische Wörter, bei denen es zwar, sofern man sie als isolierte Wörter betrachtete, sinnvoll wäre, nach der Natur der von ihnen intendierten Begriffe zu fragen, aber bei denen es nicht möglich ist zu entscheiden, welche Begriffe sie intendieren, sofern sie als Satzglieder der idiomatischen Wendung betrachtet werden. Die synkategorematischen Wörter einer idiomatischen Wendung intendieren also nur in Verbindung mit anderen synkategorematischen oder auch kategorematischen Wörtern derselben idiomatischen Wendung Begriffe der entsprechenden Aussage. (So wäre es sinnlos zu fragen, welcher Begriff von dem Wort «Es» in der Redewendung «Es geht ihm gut» intendiert wird, weil dieses Wort nur in Verbindung mit den Wörtern «geht» und «gut» in dieser Redewendung einen Begriff intendiert, nämlich den Begriff des gesundheitlichen Wohlbefindens.) Wenn Redewendungen in einer komplizierten wissenschaftlichen Abhandlung auftreten, ist es im Gegensatz zu trivialen umgangssprachlichen Gemeinplätzen sehr schwer, eine exakte semantische Analyse solcher Redewendungen zu realisieren, weil die intendierten Aussagen wesentlich komplexerer Natur sind. Im Gegensatz zu anderen Kontexten, die auch synkategorematische Wörter enthalten, gilt von Redewendungen fernerhin, daß sie solche synkategorematische Wörter enthalten, die innerhalb der idiomatischen Kontexte nicht bloß eine mögliche metaphorische, sondern oft eine gänzlich andersartige Bedeutung annehmen, als sie als isoliert betrachtete Wörter haben. (Vgl. die zwei kontextuell bedingten Wörter «kühler Kopf» in der unidiomatischen Wendung «Er hatte trotz des Fiebers einen kühlen Kopf» und in der idiomatischen Wendung «Trotz der prekären Situation behielt er einen kühlen Kopf».)

Zwar wissen wir, daß eine wissenschaftliche Abhandlung, in der zur Vermeidung semantischer Vagheiten und Mehrdeutigkeiten Metaphern und idiomatische Wendungen umgangen werden, nicht so flüssig lesbar wie ein Feuilleton und nicht so sprachschön wie ein Werk der Dichtkunst sein kann, aber offenbar schließen sich sprachliche Präzision und sprachliche Eleganz bisweilen gänzlich und bisweilen teilweise aus. Es sollte freilich ein möglichst flüssiger und ästhetischer Sprachstil trotz adäquaten Ausdrucks angestrebt werden, den, doch in Zweifelsfällen sollte man in der wissenschaftlichen Abhandlung die semantische Adäquatheit der Sprachschönheit vorziehen.

(Es sei hier beiläufig erwähnt, daß nicht so sehr die verschiedenen Strukturen der Sprachen als vielmehr die darin enthaltenen Metaphern und idiomatischen Wendungen es dem Übersetzer oft unmöglich machen, einen Text von der einen Sprache in die andere semantisch adäquat zu übersetzen, weil die Metaphern und die Idiome, wenn sie Spracheigentümlichkeiten des zu übersetzenden Textes sind, in der Sprache, in die sie übersetzt werden sollen, keine Parallelen finden. Spätestens bei der Erlernung einer Fremdsprache erkennt man denn auch, wie semantisch inadäquat viele idiomatische Wendungen sind.)

11.1.6. Bündigkeit und Systematik

Im Gegensatz zu literarischen Werken, die u.a. als Zeitvertreib dienen sollen, dienen wissenschaftliche Abhandlungen dazu, sich über bestimmte Wissensgebiete umfassend, aber in einem angemessenen Zeitraum zu informieren. Es ist deshalb klar, daß in einer wissenschaftlichen Abhandlung Weitschweifigkeiten fehl am Platze sind. Weitschweifigkeiten entstehen dadurch, daß dieselben Aussagen in einer Abhandlung in sprachlich verschiedenartig formulierten Sätzen auftreten, wodurch umfangreiche Abhandlungen entstehen können, die sich ohne Verminderung der Aussagekraft oft erheblich kürzen lassen. Ferner gibt es noch eine pleonastische und eine tautologische Weitschweifigkeit. (Die Termini «Pleonasmus» und «Tautologie» sollen hier im Gegensatz zum allgemeinen Sprachgebrauch verschiedene Begriffe intendieren.) Ein Pleonasmus liegt dann vor, wenn ein kontextuell bestimmtes Wort denselben Begriff intendiert, wie wenn es ohne Kontext steht. (So intendiert der Pleonasmus «weißer Schimmel» denselben Begriff wie das allein stehende Wort «Schimmel».) Eine Tautologie liegt dann vor, wenn das Bestimmungsbegriffswort eines Satzes einen Bestimmungsbegriff intendiert, der bereits im Gegenstandsbegriff der entsprechenden Aussage enthalten ist (etwa «Der Schimmel ist weiß»). Im engeren Sinne ist eine Tautologie nur dann gegeben, wenn die intendierte Aussage eine Trivialität darstellt. Ein Satz, der eine analytische Aussage mitteilt, die dem Leser der wissenschaftlichen Abhandlung nach aller Wahrscheinlichkeit nicht bekannt ist, kann freilich nicht wegen Weitschweifigkeit vermieden werden. Überdies ist es bei einführenden Darstellungen vorteilhaft, den Text nicht zu konzis zu gestalten, weil eine gewisse umschreibende Weitschweifigkeit (Redundanz) dem Leser Zeit läßt, sich an die neuen Erkenntnisse, die erst verarbeitet werden müssen, zu gewöhnen. Doch sollte die Weitschweifigkeit nicht zu weit getrieben werden und besser durch geeignete Beispiele ersetzt werden, die meist schneller und instruktiver in das neue Erkenntnisgebiet einführen.

Neben der Weitschweifigkeit gibt es auch noch ein Abschweifen vom eigentlichen Thema der Abhandlung. In Abhängigkeit vom Titel (oder Kapitelüberschrift) läßt sich entscheiden, ob eine Abhandlung vom Thema abweicht oder nicht. Die Thematik (das zu beschreibende Erkenntnisgebiet) bestimmt auch zugleich die Systematik der Abhandlung. Der systematische Aufbau einer idiographisch wissenschaftlichen Abhandlung ist von Fall zu Fall verschieden und kann deshalb nicht allgemein angezeigt werden, weil sie nicht gänzlich aus der Themastellung deduziert werden kann. Demgegenüber läßt sich der systematische Aufbau einer nomothetisch wissenschaftlichen Abhandlung präzis angeben, weil sich diese gänzlich aus definitorischen Aussagen konstituieren muß. Dabei gibt es drei Stufen: Erstens gibt man zu dem Begriff des Themas den übergeordneten Begriff an und definiert den übergeordneten Begriff in großen Zügen, wodurch die Abhandlung in den größeren thematischen Zusammenhang eingeordnet wird. An zweiter Stelle folgt eine vollständige Definition des Begriffs, der das Thema ausmacht und somit den Hauptteil der Abhandlung darstellt. Schließlich kann man noch drittens die Abhandlung dadurch vervollständigen, indem man in großen Zügen die untergeordneten Begriffe zu dem Begriff, der das Thema ausmacht, definiert. Es sei darauf hingewiesen, daß eine wissenschaftliche Abhandlung nomothetischer Natur freilich eine ganze Themengruppe behandeln kann, wobei praktisch jedes Kapitel ein Thema behandelt.

11.2. Das Verstehen eines wissenschaftlichen Textes

Wenn eine wissenschaftliche Abhandlung adäquat formuliert wurde, ist die Verstehbarkeit derselben nur von der Höhe der Komplexität der vermittelten Erkenntnisse abhängig. Wenn man einzelne Wörter (Fremdwörter) der Abhandlung nicht kennt, so kann man deren Bedeutungen leicht in einem entsprechenden semasiologischen Wörterbuch nachschlagen, weil dieses den jeweiligen sprachadäquaten Wortgebrauch angibt. Analoges gilt für unbekannte grammatische Formen, die man in einer entsprechenden Grammatik nachsehen kann.

Doch selbst wenn man alle Wörter und die grammatischen Formen, die in einer schwierigen Abhandlung verwandt werden, zu kennen glaubt, wird man trotzdem oft nicht zu einem vollen Verständnis gelangen, weil die eigenen Begriffsinhalte meist nicht so umfassend sind wie die analogen Begriffsinhalte, die der Verfasser der Abhandlung hat, weil dieser während seiner wissenschaftlichen Tätigkeit sich ausgiebig mit den Designaten der Begriffe (welche von den Termini der Abhandlung intendiert werden) befaßt hat. Bei einer schwierigen Abhandlung muß deshalb die Begriffsbildung bei dem Leser ebenfalls durch eigene Denktätigkeit und nicht allein durch aufmerksames Durchlesen des Textes unterstützt werden, indem man unabhängig von der Abhandlung die Erkenntnisse, die der Verfasser mitteilen möchte und die man vage ahnt, gedanklich reproduziert (nachvollzieht). Wenn eine wissenschaftliche Abhandlung indes inadäquat formuliert wurde, indem der Verfasser Wörtern willkürlich neue Bedeutungen zulegte, ohne dies zu kennzeichnen, oder indem er die üblichen Wortbeziehungsregeln veränderte, ist es zwecklos, ein semasiologisches Wörterbuch oder eine Grammatik zu Rate zu ziehen; hier muß man sich selbst an den Autor wenden. Wenn dies nicht möglich ist (wenn der Verfasser tot ist usw.), so besteht auch nicht die Möglichkeit, den Text eindeutig zu interpretieren, weil Wörter und Sätze als künstliche Zeichen selbst keine eindeutigen interpretativen Anhaltspunkte geben. Sofern jedoch die inadäquaten Formulierungen nur teilweise von der Norm abweichen, können die Methoden der analytischen Wortdefinition angewandt werden (vgl. 8.2.2.). Ansonsten sind nur Hypothesen möglich. Überdies ist es müßig, unverständliche Texte interpretieren zu wollen, weil die Wahrheit einer Erkenntnis nicht von dem Erkenner, sondern von der Existenz der reproduzierten Sachverhalte abhängt. Denn besser ist es, durch eigenes Nachdenken und Forschen zur Erkenntnis zu gelangen, als die Wahrheit in abstrusen Sprachgewirren zu suchen.

Im allgemeinen gibt es keine völlig inadäquat formulierten Texte, so daß einfache Interpretationen bei guter Kenntnis des jeweiligen Sprachsystems möglich sind. Wie jedoch die klassischen hermeneutischen Werke (etwa Bibelexegese usw.) zeigen, ist es bei problematischen Textstellen möglich, kontradiktorische Auslegungen zu machen, zumal viele Interpreten mit vorgefaßter Meinung an den Text herantreten, um ihre eigenen Ansichten bestätigt zu wissen. Meist legt man dabei nicht zuwenig, sondern zuviel aus, doch lassen sich hierüber keine klaren Entscheidungen treffen, weil man den Autor nicht befragen kann.

WEITERFÜHRENDE LITERATUR

1. Zur Semantik

Kamlah-Lorenzen: *Logische Propädeutik* (242 Seiten), Mannheim 1967 (BI-Hochschultaschenbuch 227/227a). – Dieses Buch behandelt allgemeine Semantik aus logischer Sicht.

W. Stegmüller: *Das Wahrheitsproblem und die Idee der Semantik* (327 Seiten), Wien [2]1968. – Dieses Buch behandelt semantischmetalogische Probleme der Logistik und der Metamathematik.

L. Wittgenstein: *Tractatus logico-philosophicus* (115 Seiten), Frankfurt a.M. [5]1968. – Dieses Buch behandelt u.a. auf interessante Weise einige wichtige ontologische und gnoseologische Probleme der allgemeinen Semantik.

I. M. Bocheński: *Die zeitgenössischen Denkmethoden* (150 Seiten), Bern und München [3]1967 (Dalp-Taschenbuch 304). – Dieses Buch enthält ein größeres Kapitel über semantische (semiotische) Methoden und nimmt auch zu den ontologischen Begriffen der Semantik Stellung.

2. Zur Logik

K. Ajdukiewicz: *Abriß der Logik* (204 Seiten), Ost-Berlin 1958. – Dieses Buch beschreibt die traditionelle Logik ohne Formeln.

G. Klaus: *Moderne Logik* (452 Seiten), Ost-Berlin [4]1967. – Dieses Buch behandelt in leichtverständlicher Weise (mit nur wenigen Formeloperationen) die gesamte moderne Logik.

Bocheński-Menne: *Grundriß der Logistik* (143 Seiten), Paderborn [3]1965. – Dieses Lehrbuch der modernen Logik enthält nur Formeloperationen und ist deshalb nur für mathematisch Versierte leicht verständlich. – Eine einfachere Einführung in die Formelsprache der modernen Logik bietet das Buch von

A. Menne: *Einführung in die Logik* (126 Seiten), Bern und München 1966 (Dalp-Taschenbuch 384).

3. Zur deutschen Sprache

G. Wahrig: *Das große deutsche Wörterbuch* (1440 Seiten), Gütersloh 1967. – Dieses umfangreiche und doch handliche Wörterbuch gibt bei semasiologischen Untersuchungen fast immer erschöpfende Auskunft. Dem Werk ist überdies eine alphabetische deutsche Grammatik (von ca. 100 Seiten Umfang) vorangestellt.

Wehrle-Eggers: *Deutscher Wortschatz* (338 Seiten), Frankfurt a. M. 1968 (Fischer-Taschenbuch; Originalausgabe im Klett Verlag, Stuttgart). – In diesem onomasiologischen Wörterbuch ist der deutsche Wortschatz systematisch nach Wortfeldern geordnet und kann deshalb zur Erarbeitung jedes beliebigen Fachwortschatzes herangezogen werden.

J. Erben: *Deutsche Grammatik* (191 Seiten), Frankfurt a. M. 1968 (Fischer-Taschenbuch). – Diese kleine Grammatik gibt ausreichend Aufschluß über besondere semantische Formen und Gesetzlichkeiten der deutschen Sprache. (Der Verfasser schrieb auch das analoge, aber umfassendere Buch *Abriß der deutschen Grammatik*, Berlin und München [9]1966.)

H. Glinz: *Die innere Form des Deutschen*, Bern und München [5]1968.

W. Porzig: *Das Wunder der Sprache* (424 Seiten), Bern und München [4]1967 (Sammlung Dalp 71). – Dieses Buch ist eine leichtverständliche Darstellung der allgemeinen Sprachwissenschaft unter besonderer Berücksichtigung der deutschen Sprache.

(Die Buchhandlung Kiepert KG in Berlin gab 1969 ein Verzeichnis «Linguistik» heraus, das auch alle auf dem Gebiet der Semantik veröffentlichten Werke enthält.)